JN046293

詩のモダニズム探究

前川整洋

図書新聞

詩のモダニズム探究

前川整洋

図書新聞

詩のモダニズム探究——目次

はじめに

　詩は大衆にひろく読まれているとは言い難い現況である。むしろ、終戦間もない頃は、学生から社会人までの大衆レベルで読まれ支持され活気に満ちていた。目を見はるスピードで巨大化複雑化システム化さらにグローバル化する社会となり、詩の読者はロマン主義の抒情美からの癒しや象徴主義の形而上学的空間への陶酔では、現代のさまざまな不安や怒りを払拭する光明を見出せないと認識してしまった。この事態をもたらしている底流に近代思想と近代化がある。近代化とは機械を中核とした、現在ではコンピュータ・ＩＴ・ＡＩを中核としつつある高度文明化のことである。近代化を精神面から支えてきたのが近代思想であり、物質的に駆動してきたのが近代文明すなわち科学技術であった。ここで近代思想と近代文明の発祥の舞台であるヨーロッパ世界の近代への流れをたどることにする。一四世紀から一六世紀にかけての文化運動であるルネサンス（フランス語で「再生」）では、中世の文化様式と世界観からの脱却が図られた。その影響も受けて一六世紀にキリスト教世界がカトリック教会とプロテスタントに分かれ、教会支配が崩れはじめた。一七世紀のガリレイやデカルト、ニュートンなどにより古典力学の基礎が築かれた。その成果として一八世紀後半から一九世紀前半にかけて手工業生産から機械化された工場生産への革新が進んだ。そして近代すなわちモダンとは、ルネサンス、宗教改革、科学革命、産業革命に駆動されて、一九世紀後半からはじまった政治・産業・経済・文化・生活のあり方がドラスティックに変貌した時代のことである。

物理学者・数学者でもあり近代哲学の父とされるデカルトの、「我思う、故に我あり（ラテン語で『コギト・エルゴ・スム』）」は、すべてを疑ったあげく、自分の存在までは疑えないということを意味している。ここから神の支配を裏づけているスコラ哲学を拒否した近代思想が、はじまったとされている。デカルトは一六三七年刊行の『方法序説』の形而上学を語っている第四部で、神の存在について論じている。ここでの神は、キリストということではない。

私は、自分が持っていない完全性のいくつかを知っているのであるから、私は現存する唯一の存在者ではなく（ここでスコラの用語を自由に使うことをお許し願いたい）、私がそれに依存し、私が持っているもののすべてをそこから得てきたところの、ある他の、より完全な存在者が必然的になければならない。というのは、もし私が唯一であって他のすべてから独立であり、したがって、私が完全な存在者から分け与えられているこのわずかなもののすべてを、自分自身から得ているとするならば、同じ理由によって、私が自分に欠けていると知っている残りの完全性のすべてを、私から得ることができたはずであり、かくして私自身、無限で、永遠で、不変で、全知で、全能であり、要するに、神のうちに見いだすことができたすべての完全性を持つこと

ができたはずだからである。（山田弘明訳）

二行目の「スコラの用語」は、「現存する」、「分け与えられている」、「完全な」のことである。ここでは、私の存在は神に依存していることから、私が存在しているからには、神も存在していると論断している。五行目の「完全な存在者から分け与えられているこのわずかなもの」とは、神から分け与えられた、知性や意志である。この知性や意志によって、人間は神に近づくことができる、ということである。この近代思想が起爆剤となって、科学技術や資本主義・社会主義などが爆発的に進歩することで、近代という時代は目ざましい発展を遂げた。社会のシステム化や経済の巨大化などによる人間疎外、戦争と紛争の慢性化なども、近代という潮流の結果なのである。この実態を認識するとともに、のり超える方法がモダニズムである。『現代詩手帖』などの商業詩誌では、モダニズムの詩が主流となっている。一方、国民文化祭などのコンテストで入賞入選する詩は、ロマン主義的な抒情詩が多い。商業詩誌の状況からは、文学作品として価値が高いのがモダニズムの詩ということになる。モダニズムは二〇世紀初頭に起こった前衛的な文化芸術運動と一般的にはいわれているが、モダニズムとは何かということは簡単ではない。

モダニズムは近代主義と訳される。このイズムのはじまりは一九世紀末、カトリック教会組織内で進められた改革運動であったが、科学の進歩などに適合したキリスト教を目ざした。つづいて同じ世紀末に建築においてモダニズムが提唱され、一九世紀以前の建築様式を批判し、市民革命と産業革命以降の社会の実態に適合するように、装飾を排除した機能的な建築を創ろうとする運動がくりひろげられた。美術においては、一九〇四年に描かれたピカソの「アヴィニヨンの娘たち」はその芸術的レベルの高さから、美術におけるモダニズムの歴史的な幕開けであった。この事実からは、美術のモダニズムが文学に先行したことが分かる。モダニズムとは何かを端的にいうには、ピカソの画法について考えると分かりやすい。それは伝統的な方法を打ち破ることからはじまった。ルネサンス期の絵画は、明暗により三次元的に、そして観念的または道徳的に描かれていた。ピカソは大胆な抽象化・平面化やデフォルメにより、人間の内面にある魔性、野心、不安、憧れ、慈しみ、虚無などを目で見えるものとした。ピカソにとっての美の境地は、人間の内面や社会の実態の形象化であり、それは思想的な示唆をもたらすこともある。このことからは、モダニズムとは、表現に知的に手を加えることで、人間の本性や社会の本質をあばき出すとともに、現代というストレス社会をのり超える啓示をもたらす創作手段を開拓することであった。

文学におけるモダニズムは第一次世界大戦後の一九二〇年代にはいってから盛んになったが、その出発点は大戦中の一九一六年にスイスのチューリヒではじまったダダイズムであった。ダダイズムはシュルレアリスムへと進展してゆく。それはロマン主義的な抒情や霊的境地、さらにリアリズムをも否定することで、意義のある前衛をうち出したのだった。第一次世界大戦後の一九二二年にモダニズム詩の金字塔といえる詩「荒地」が発表されたが、意味不明で詩情（ポエジー）が欠如しているという悪評が大勢であった。一九二四年にはアンドレ・

ブルトンが『シュルレアリスム宣言』を発表した。

わが国における詩史をふり返ると、明治期にはじまった自由詩を近代詩、それが口語で書かれるようになったもの、代表的な詩人を萩原朔太郎、高村光太郎とする詩を現代詩としているが、中学・高校生に教えやすい教科書的な分類といえる。この分類を、古典主義からロマン主義に推移し、ボードレールの象徴主義から近代詩がはじまったとするヨーロッパの詩史と比較すると、わが国の近代詩はロマン主義の詩、現代詩がヨーロッパ流の近代詩ということになる。モダニズムを詩論としてはじめて紹介したのは、大正一四年に英国留学から帰国した西脇順三郎で、評論「PROFANUS」による。運動としてのモダニズムは、昭和三年に春山行夫と北川冬彦が中心となって創刊した詩誌「詩と詩論」からであった。戦前のモダニズムは文化芸術志向が強く、第二次世界大戦の反戦勢力にはなれなかった。

この大戦が終わった後の詩の潮流は、モダニズム系の詩誌「荒地」とプロレタリア系の詩誌「列島」が主導したが、どちらの流派も、目標は戦前のモダニズムの超克であった。その後、朝鮮戦争、安保闘争などの社会の混乱に対応しながら、モダニズム詩はさまざまに変容していった。この間に戦後詩およびポスト戦後詩と呼ばれる、わが国に固有の現代詩が成立したのだ。しかしながら、情報通信の革命的な進歩やサブカルチャーの発展に、すべての詩の流派が大衆から遊離してしまい、詩のモダニズムも衰退に向かい今日にいたった。この結果は、モダニズムが読者に理解されていないことにもよるといえる。他方、現在のわが国での詩のレベルは、モダニズムの巧みさで決まると言っても言いすぎではない。裏腹に、モダニズムを解説することは簡単ではない。モダニズム詩は暗喩の羅列、言葉の破壊、ドラマ性に欠けたフィクションなどと、読者には受けとられてしまっているのが現状で、客観写生中心の俳句と抒情中心の短歌の盛況とは逆行して、現代詩は低迷している。モダニズムの方法にはフォルマリズム、ダダイズム、シュルレアリスム、新即物主義、イマジズム、主知主義（インテレクチュアリズム）などがある。人間疎外・自然環境の破壊・宗教的祈りの喪失といった近代という時代の流れに対抗しつつ変遷した詩のモダニズムを、代表的な詩を読解しながら、台頭の経緯、方法、特徴、意義などを探究してゆくことにする。

《参考文献》

ルネ・デカルト／山田弘明・訳：方法序説、筑摩書房、二〇一〇
小林道夫：デカルト入門、筑摩書房、二〇〇六

一　モダニズムの勃興

モダニズムは文化芸術より建築の分野で先行して推し進められたが、文化芸術において先駆となった創作は、二〇世紀にはいって出現してきたフォーヴィスムやキュビスムの抽象絵画であった。写実をデフォルメした抽象絵画は、一九〇五年、パリのサロン・ドートンヌで開かれたフォーヴィスムの絵画の展覧会からはじまった。一九〇七年にピカソが描いた「アヴィニヨンの娘たち」によってキュビスムという抽象絵画が登場した。さらに一九〇九年にはピカビアが、具象とは断絶した真の抽象絵画を描いた。これらのモダニズムは第一次世界大戦前に既にはじまっていたのだ。

第一次世界大戦は一九一四年から一九一八年までつづいたが、それは思想哲学だけでなく、文化芸術にたいしても二〇世紀におけるエポックをもたらした。思想哲学では現象学・実存主義、文化芸術ではモダニズムの台頭であった。文学のモダニズムが盛んになったのは第一次世界大戦後の一九二〇年頃からであったが、その先駆けであったダダイズムがはじまったのは第一次世界大戦中の一九一六年であった。ドイツの反戦詩人フーゴー・バルが、スイスのチューリヒで「キャバレー・ヴォルテール」を開き、そこに集まったアーティストたちが現状不満のドンチャン騒ぎをしているうちに、ダダイズムの発想を思いついたのだった。その中心にいたのが、フーゴー・バルの他に、チューリヒへ留学で来ていたルーマニア生れのトリスタン・ツァラ、画家のハンス・アルプ、作家で精神医のリヒャルト・ヒュルゼンベックなどであった。この運動の主導者はバルからツァラに引き継がれ、伝統芸術だけでなく既成の道徳や社会のさまざまなシステムも破壊しようとする芸術運動へと発展するにいたった。抽象絵画によるモダニズムは美の原理を追求するためのものであったのに対して、文学のモダニズムは、国家間の総力戦という近代戦争の根底にある、近代思想と近代化の批判と超克を推進するものであった。

一九一七年のニューヨーク・アンデパンダン展にマルセル・デュシャンは、便器を横にして「泉」の題で展示した。機能だけが求められているものを芸術的オブジェとしたのだ。近代文明への叛逆（はんぎゃく）である。ダダイズムが芸術と結びついたセンセーショナルな出来事であった。

ダダイズム運動が起こる前であるが、一九一一年のエズラ・パウンドの詩「地下鉄の駅で」も、ダダイズムあるいはシュルレアリスムの作品といえる。パリのコンコルド駅で下車したときの経験にもとづいていた。

In a Station of the Metro　　地下鉄の駅で

Ezra Pound　　エズラ・パウンド

The apparition of these faces in the crowd;　人ごみの中からこれらの顔の亡霊

Petals on a wet, black bough.

濡れた、黒い枝にいくつかの花びらが

パウンド自身はこの詩ができた経緯について書いている。

　三年前のパリでのこと、ぼくはラ・コンコルド駅で地下鉄をおりた。すると、不意に、ある美しい顔がみえた、それからもうひとつ、さらにもうひとつとみえ、続いてひとりの美しい顔がみえた、それからひとりの美しい女の顔がみえた。（中桐雅夫訳）

この手記には、駅のホームでの出来事をわずか二行の詩に書くのに一年もかかったとある。最初の記憶から、虚構の映像を創り出すためにそれだけの期間を要したのである。観念を破壊するイメージを考え出そうとしたのだ。

　ダダイズム運動は発展するかに思えたが、少なくともチューリヒでのダダ運動は行き詰り、一九一九年にツァラはパリに移りアンドレ・ブルトンと合流する。しかし盛りかえすにはいたらず、シュルレアリスムに吸収されていった。

エズラ・パウンド

　モダニズム詩はエリオットの詩「荒地」によりひとつ頂点を極めたあとは、とりわけシュルレアリスムにおいてブルトンをはじめ、アラゴン、ポール・エリュアール、オクタビオ・パスといった世界的な詩人が次々にあらわれた。エリオットの後継者にはW・H・オーデンなどがいて、オーデンらは「ニューカントリー」という流派（エコール）をつくり、第二次世界大戦前には反ファシズム運動につながる詩作活動をくりひろげた。

他方、フォルマリズム、新即物主義、イマジズムなどの芸術志向のモダニズムは、社会の激動に効果的な境地をもたらすことができずに、衰退していったのである。

《参考文献》

中桐雅夫：詩の読みかた　詩の作りかた、晶文社、一九八〇

二　モダニズムの源流『マルドロールの歌』

二—一　イジドール・デュカスの遍歴

シュルレアリスムとは何かとは簡単には論じられない。書く内容をあらかじめ何も用意しないで、思いつくままに書く自動記述を、一九一九年からアンドレ・ブルトンがはじめた。そこから得られた知見などにもとづき、一九二四年に『シュルレアリスム宣言』を発表するにいたり、パリでシュルレアリスムの運動が開始された。一方、『シュルレアリスム宣言』を出す前から、ブルトンがシュルレアリスムのバイブルとして評価していたのが、ロートレアモン伯爵の散文詩集『マルドロールの歌』（一八六九年）、詩集『ポエジー』（一八七〇年）である。これらの作品から帰納法的に、シュルレアリスムのベースが組立てられたといえないこともない。デカルトからはじまったとされる近代思想では、道徳的な配慮や社会秩序の維持が優先される。それらに縛られていない無意識にある憧れ、安息、不安、恐怖などの表出を企てたのがシュルレアリスムである。無意識については、潜在意識や深層意識というい方もあるが、深層意識は無意識よりさらに深い部分のことで、人間の本性に深く係わっている。また、深層心理というのは、無意識は言動を指令することができるのにたいして、深層心理は意識していない心の動きのことである。シュルレアリスムでは、無意識の、深層意識の、あるいは深層心理の物語詩であり、エッセイ的な語りの詩である。

ロートレアモン伯爵ことイジドール・デュカスは、伯爵ではない。父フランソワ・デュカスはフランスのピレネー高地の自作農の出身であったが、小学校の教員となる。その後、ウルグアイに移民し、首都モンテビデオの領事館の書記補となる。一八四六年にイジドール・デュカスが生れる。母親もフランス人であったが、一歳のとき死去する。自殺であったとの噂があった。一三歳のとき単身フランスに渡り、ピレネー高地地方のタルブ市のタルブ帝立高等中学（リセ）校に入学し、寄宿生となった。この頃の数少ない友人の一人に〝金髪の美少年〟ジョルジュ・ダゼットがいた。六歳年下であった。親しく付き合っているうちに、デュカス側に同性愛が芽生えていったとされている。このことから逃れるためと推測されるが、一七歳のときポオ市のポオ帝立高等中学（リセ）校に転校する。一九歳でそこを卒業した。その後の二年間の足跡は不明となるが、タルブ市に戻り『マルドロールの歌』を書いていたと推定できる。フランスに住みつづけていたが、一八六七年、二一歳になってからタルブ市発行のパスポートでウルグアイに帰省する。パリ上京と文学で身をたててゆくことについて、父親から了承を得るとともに、書きはじめていた『マルドロールの歌』の出版費用を無心するためとされている。年末（翌年の春ともされている）にフランスに戻り、パリのノートル・ダム・デ・ヴィクトワール通りの貸し部屋に住む。二二歳の

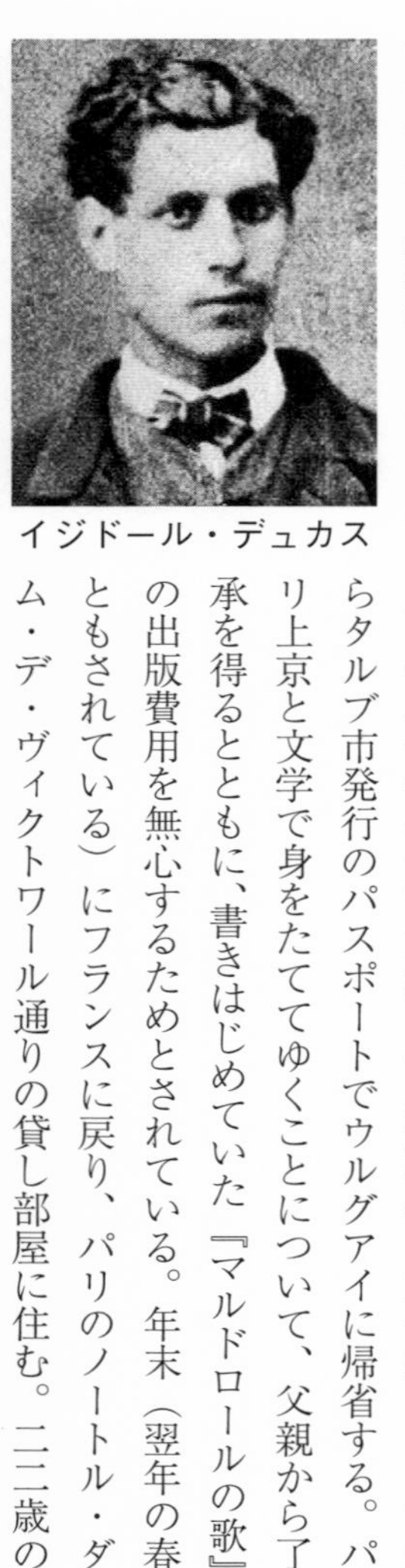
イジドール・デュカス

とき、パリトゥー／ケストロワ印刷所で『マルドロールの歌　第一歌―＊＊＊による』が制作された。この初版本では、数ヶ所にわたって、「ダゼット」の名での呼びかけが出てくるが、高等中学校の後輩のジョルジュ・ダゼットをモデルとしている。二三歳のときであるが、一八六九年前半までに第六歌までの執筆が完了し、ラクロワ／ヴェルベッコーヴェン印刷所において、ようやく完成版の『マルドロールの歌』の印刷・製本がベルギーで完了する。作者名は前回の〈＊＊＊〉という記号化された匿名ではなく、「ロートレアモン伯爵」であった。また、「ダゼット」の名での呼びかけは、「蛸」や「虱」といった生物の名に置き換えられていたが、ストーリーに普遍性をもたせる企てであったといえよう。そして、この本は一般の書店にはいっさい出回らなかった。内容の過激さに出版元のラクロワが恐れをなして発売を控えたためであった。

普仏戦争の混乱のなかで、一八七〇年に二四歳でイジドール・デュカスはフォーブール・モンマルトル通りのホテルの部屋で人しれず、死因不明のまま亡くなった。死後も長く埋もれた存在であったが、二〇世紀に入ってブルトン、アラゴンらのシュルレアリストたちによって再発見されてからは、シュルレアリスムの先駆者として一躍有名になった。彼の写真はなく、外見は未知のままであったが、ジャック・ルフレールがピレネー高地地方を徹底的に捜索して、一九七七年にデュカスの写真を発見、彼の容姿は世間の知るところとなった。

二―二　『マルドロールの歌』

自費出版の散文詩集『マルドロールの歌』（一八六九年）は、第一歌から第六歌までつづく。マルドロールには「悪の曙」といった意味がこめられているとされているが、悪魔の化身のような若者の主人公のことである。第一歌の（3）で突如マルドロールが次のように登場する。

私は数行で、いかにマルドロールが幼年時代は善良であったかを証明しようと思う。彼はその頃、幸福に暮らした。これでおしまいだ。それから彼は、自分が邪悪に生れついたことに気がついた。

（石井洋二郎訳、以下『マルドロールの歌』は石井洋二郎訳による）

マルドロールは邪悪であることを隠しつづけることができず、悪徳行為をくり返してゆくことになる。第一歌の（4）では深層意識の物語であることを言明している。

歌を歌う者は、自分の独唱曲（カヴァティーナ）が未知のものであることを望みはしない。それどころか、自分の主人公の傲慢で邪悪な考えがあらゆる人間の内にあることを満足に思うものだ。

ここでの深層意識は誰もが悪徳に満ちているものの、それが表には出てこない人もいるということだ。この語り手はマルドロール自身であるかのようでもあるが、定かではない。

第一歌の(9)にいたって、前述したことであるが、唐突に「蛸」への呼びかけが出てくる。

おお、絹のまなざしをした蛸よ！　その魂が私の魂と切り離せない君。地球の住民で最も美しい君、四百の吸盤のハーレムを統括する者よ。
この呼びかけは初版では「ダゼット」であったものだ。「吸盤」は武器であるが、第三歌の（3）で登場する鷲は「嘴（くちばし）」を武器としている。科学認識論などで知られている哲学者のガストン・バシュラールは、マルドロールの動物への変身には、目的があると論じるなかで、動物ならではの何らかの特徴を示されているという。

ところで逆にロートレアモンにあっては、動物はその形態によってとらえられているのではなくて、そのもっとも直接的な機能によって、正確にいえばその攻撃の機能によってとらえられているのだ。
（平井照敏訳、『ロートレアモン』）

人間の本能にある暴力性を、ある種の動物に特徴的な行動にあてはめている。マルドロールは本能で暴力を実行しているということでもある。第一歌の（13）では吸血鬼として蛭（ひる）を登場させ、その美しさを次のように讃えている。

おまえは強いにちがいない。なにしろ人間以上の、宇宙のように悲しく、自殺のように美しい顔をしているものな。

この散文詩集でしばしば用いられている「……のように美しい」という表現の最初の箇所である。キリスト教では禁止されている自殺を美とするイロニーであり、神を絶対とする中世の価値観への反逆である。近代という時代は、逆説的なあるいはピカソ的な美の時代であることを示唆している。
第二歌の（1）にいたって、語り手とマルドロールとの関係が明らかになる。

> だからこそ私が登場させている主人公は、自分が不死身と信じていた人間を、人間愛に満ちたばかばかしい長口舌を突破口として攻撃することで、抜きがたい憎悪をおのが身に招き寄せたのだ。

語り手の代理人がマルドロールなのである。マルドロールでもある語り手は、神を打ちのめすと第二歌の（3）で宣言する。

> おお〈創造主〉よ、私に感情をぶちまけさせてくれたらうれしいのだが。確固たる冷徹な手で恐ろしい皮肉の数々をあやつりながら、おまえに告げておくが、私の心には感情がたっぷりあるので、生命が尽きるまでおまえを攻撃するにはじゅうぶんだろう。

この物語のテーマは神、それはキリスト教の神ということになるが、その抑圧からの解放なのであろう。

第二歌の（14）は、セーヌ川を流れていた人間の体を、船頭が通りがかりに竿でそれを引っかけ、陸にあげることからはじまる。溺死寸前のこの青年を、居合わせた人びとは見捨てるが、馬に乗って通りすがったマルドロールが蘇生させる。これまでと正反対な主張を行っている。

> しかし彼はまだ弱々しく、まったく身動きできない。誰かの命を救うこと、それはなんと美しいことだろう！

惨殺を生きがいとしているマルドロールが、人を救出することもある。深層意識の両面性を示唆している。

第二歌の（15）では神への暴力が実行される。

さて、私は人間を擁護するためにやって来たのだぞ、今回は、あらゆる美徳を軽蔑するこの私、あの栄光の日以来、〈創造主〉が忘れることのできなかった者である、この私がだ。あの日、何かよくわからない卑劣な不正手段によって、やつの権力とやつの永遠性が記録されていた天の年代記を、私は土台からくつがえし、四百の吸盤をやつの腋の下にぴったり押しつけて、恐ろしい叫び声を何度もあげさせてやったのだ……。

〈創造主〉はキリスト教の神であるが、その禁欲主義への反抗が、ドラマティックな争いというより一方的な暴力となっている。正義の葛藤も、淡い恋愛もなく、神を罵倒冒瀆し、出会った人びとには不幸をもたらすストーリーが進行してゆく。そこには無意識に潜む情念の表出があるのかもしれない。人間はこれほど邪悪であるはずはないが、こういった一面もあるともいえる。

第三歌の（1）は、同性愛的な友情のストーリーである。

マリオと私は、砂浜に沿って進んでいた。私たちの馬は、首をまっすぐ伸ばして空間の膜を切り裂き、海岸の砂利から火花を散らしていた。

マリオとの同性愛的な友情にもとづく励まし合いがくりひろげられている。神への不信の念を語りつつ、愛情を向ける相手は同性でも異性でもよいと言っているようだ。これも神への反抗である。

第一歌から第五歌までは、動物に変身しての怪奇物語が頻繁にくりひろげられた。バシュラールは、人間の動物性を暴き出すためであると論じている。

　動物とは犯人である。あるいはさらに、もっと感じとりやすいものにするために調子をたかめて、動物のさまざまな種類はさまざまな精神の狂気の形態であると。このことばには一面の真実がある。それは動物がある特別な生の決定論に服しているということだ。（平井照敏訳、『ロートレアモン』）

第六歌で最後の歌となるが、ここから章とともにストーリーが進行する小説仕立てとなっている。場面や人物の描写も細かくなっている。これまで主張してきた悪魔的な人間論にリアリティを与える狙いがあったといえる。第六歌の（3）には、『マルドロールの歌』でとりわけ優れたシュルレアリスム的表現とされている箇所がある。美少年メルヴィンヌを見かける場面である。

　私は額の人相学的な線のうちに年齢を読み取る術にたけている。彼は十六歳と四か月だ！　彼は美しい、猛禽類の爪の伸縮性のように。あるいはまた、後頭部の柔らかい部分の傷口における、筋肉の動きの不確かさのように。あるいはむしろ、捕獲された鼠によって絶えず仕掛け直されるので、この齧歯目（げっしもく）の動物を自動的に際限なく捕えることができ、藁の下に隠されていても機能できる、あの永久鼠捕り器のように。そしてとりわけ、解剖台の上での、ミシンと雨傘との偶発的な出会いのように！　メルヴィンヌという、この金髪なる英国の息子は、教師の家でフェンシングのレッスンを受けてきたばかりで、タータンチェックの服に身を包み、両親のもとに帰るところだった。

なかでも、六行目にある「解剖台の上での、ミシンと雨傘との偶発的な出会いのように!」が、シュルレアリスム的な意外さから高く評価されてきた。メカニックとツールのシンプリシティとの出会いから生命感が立ち上がってくる。これは偶然にもとづく美である。

第六歌の(7)では、公園で落ち込んでいたアゴーヌという若者に、マルドロールは同情したふうを装って声をかけ、レストランに連れて行って、一緒に食事をする。二人は豪華なアパルトマンに身を落ち着ける。悪党は彼に財布を押しつけ、ベッドの下にあった尿瓶を取ると、アゴーヌの頭に載せ、これは冠で、アゴーヌを王とすると告げた。

第六歌の(10)にいたって、マルドロールはメルヴィンヌをルーヴル宮殿のすぐ前にあるカルーゼル橋に呼び出すにいたる。そこでメルヴィンヌは袋に押しこまれるが急死に一生をえる、さらに次の場面へと進む、語り手の都合のよいように、唐突に場面が進められる。

そいつは頭に尿瓶を載せ、手に棒杖をもって、ひとりの少年を前方に追いたてているが、私がわざわざ注意を促してあなたの耳にメルヴィンヌという音の単語を思い出させなければ、それが彼だとはなかなか気づかないところだろう。

頭に尿瓶を載せた「そいつ」は、第六歌の（7）で登場したアゴーヌである。この男は父親の横暴から狂人になっていた。公園でマルドロールに声をかけられ手下になっていた。どういった陰謀をめぐらしたかの説明はなく、メルヴィンヌはアゴーヌの囚人となっていた。塔の上からマルドロールが垂らしたロープの端に、アゴーヌがメルヴィンヌを結び付け、それからロープをぐるぐると回し彼を飛ばしてしまう。

　放物線を描きながら、死刑囚は大気を切り裂いてセーヌ左岸にまで達し、私には無限と思われる推進力のおかげでそこを越えると、体がパンテオンの円屋根にぶつかろうとするのだが、そのとき綱の一部がぐるりとうねって、巨大な円天井の上部壁に絡みつく。形だけはオレンジに似ている凸形球状をしたその表面に、一日じゅういつでも、ひからびた骸骨がぶら下がっているのが見える。カルチエ・ラタンの学生たちは似たような運命になるのを恐れて短い祈りをあげるのだと、人は言う。

五行目でメルヴィンヌは「巨大な円天井」にぶら下がった「ひからびた骸骨」になりさがる。この長編散文詩は幕を閉じる。この悲惨な結末からは、「解剖台の上での、ミシンと雨傘との偶発的な出会いのように！」の美しさは、意外性を求める情念的な生々しさを放っているといえる。全体を通して感じられることは、憎しみからの残虐行為というより、本能的な破壊への欲望からの非現実的な行為になっていて、そこには芸術的な美がかもし出されている。リアリティを追求していない小説仕立てのお伽話（とぎばなし）になっている。

メルヴィンヌのモデルは、前述している高等中学校（リセ）の後輩のジョルジュ・ダゼットで、デュカス側には同性愛的な感情があったことは事実であろう。フランス文学者の前川嘉男はジョルジュ・ダゼットとの同性愛をテーマにしたドラマであるとしている。

こうしてたえずジョルジュ・ダゼットを意識して読むと、神の不条理と人間存在そのものの不条理とに対する個の不断のたたかいという、シジフォス神話に似た『マルドロールの歌』の体裁の裏側に、一美少年へのひたむきな愛とそれゆえの憎しみという、作者の倒錯した青春の身辺メモがにじみでてくる。それがあまりにも身近でせつなく、しかも烈しい真実なので、それは普通の愛憎をつきぬけ、生と死の根源にまで肉薄する。そしてその力は、恥と汚物にまみれた『マルドロールの歌』の青春を透明になるまで結晶化し、ついに、過ぎ去る宿命を背負ったものごと個有の光芒(こうぼう)を、『マルドロールの歌』にあたえる。(『マルドロールの歌』)

書きはじめたきっ掛けはそうであったとしても、最終版では「ダゼット」の名は消し去っていることからも、もっと普遍的な人間の深層意識がテーマに変貌したといえる。

第一歌から第六歌までのストーリーに一貫性がなく、ひとつの歌のなかでも唐突に場面がいれ替わる。意図的なテーマのない展開である。個人的な同性愛の愛憎経験をテーマにしたドラマとは言い難い。他方、実在したジョルジュ・ダゼットとの経験にもとづき、愛と憎しみは入れ代わる脆さもあると言いたかったといえる。メインテーマは深層意識にある悪徳の暴露なのである。しかしながら、逆に善行の深層意識もあり、そうでなければここまで社会は発展することはなかったはずである。カントは、人間の自由は道徳を志向していることから、人間には自由が保障されているとして、その根拠として社会が発展成長してきたことを挙げている。深層意識にマルドロールが存在しているとしても、理性とか学問上の知識や思索によって抑えられるものである。それを再認識させるために『マルドロールの歌』があるといえよう。

二―三　『ポエジーⅠ』と『ポエジーⅡ』

完成版の『マルドロールの歌』が制作された半年以上すぎた一八七〇年、小冊子の『ポエジーⅠ』、つづいて『ポエジーⅡ』が発行となった。『ポエジーⅠ』では現状の社会や人生観を、あからさまに肯定している。まず人間の欲望追求のスタンスの否定からはじまる。

私はエウリピデスとソフォクレスは受け入れる。しかしアイスキュロスは受け入れない。（石井洋二郎訳、以下『ポエジーⅠ』『ポエジーⅡ』は石井洋二郎訳による）

アッティカはギリシャのアテナイを中心とする地域名であり、ここで書かれた悲劇がアッティカの悲劇であるが、アイスキュロス、ソフォクレス、エウリピデスの三大悲劇詩人が出現している。アイスキュロスは『縛られたプロメテウス』を書いている。プロメテウスは、神々の世界から火を略奪して人間に与えたが、この火は人間に絶大な利益をもたらした反面、争いと苦悩も引き起こすことになった。アイスキュロスは、プロメテウスの火は人間に発展をもたらしたとして、プロメテウスの行為を是認している。欲望は人間の本性であり、欲望によるさまざまな矛盾をのり超えていかなければならないのが人間存在なのであるとしている。他方、エウリピデスは伝統的悲劇を合理主義精神によって改革した。「アイスキュロスは受け入れない」とは、禁欲主義的なスタンスに賛同しているといえる。次には当時、活躍していた進歩的な文人を否認しているのである。

否認してはならぬ、魂の不滅を、神の叡知を、生命の偉大さを、宇宙の顕現する秩序を、肉体美を、家族愛を、結婚を、社会制度を。有害な三文文士どもは脇にのけておきたまえ——サンド、バルザック、アレクサンドル・デュマ、ミュッセ、デュ・テラーユ、フェヴァル、フローベール、ボードレール、ルコント、そして「鍛冶屋のストライキ」などは！

「鍛冶屋のストライキ」は高踏派の詩人フランソワ・コペーの詩である。ロマン主義や象徴主義を拒否し、古典主義への回帰を志向している。

さらに『ポエジーII』では、悪を認めない、道徳主義を提唱している。

私は悪を許さない。人間は完璧だ。魂は完璧だ。魂は墜落しない。進歩は存在する。善は屈しない。反キリスト、告発する天使、永遠の劫罰、諸宗教などは、疑念の産物である。ダンテやミルトンは、地獄の荒地を仮説的に描いた結果、自分たちが第一種のハイエナであることを証明した。証明はすばらしい。結果が悪いのだ。彼らの作品は買えたものではない。

また、理性の必要性を説いている。

孔子、仏陀、ソクラテス、イエス・キリストなど、飢えに苦しみながら村々を駆け巡っていたモラリストたちへと回帰しようではないか！　これからは理性を考慮に入れなければならない、純粋な善性からくる諸現象というカテゴリーをつかさどる諸能力にしか働きかけない理性を。

「マルドロール」とは正反対な、人間の性善説に打って変っている。『ポエジーⅡ』ではパスカルなどの偉人の箴言を書き変えている。意味を逆転させているでもなく、むしろ箴言の主張を曖昧にしている。

深層意識の本性は邪悪である。それに対抗して、『ポエジーⅠ』、『ポエジーⅡ』では古典主義にもとづき、人間の再生を目ざすべきというのである。『マルドロールの歌』では、人間の本性にある邪悪さに、面白さを感じさせる書き方になっている。言語空間においては、邪悪その究極の人殺しは、美あるいは快感をともなわせることができる。それが現実に起こってしまうとなると、エゴイズムと人間性の欠如以外の何ものでもない。この論理が人間にたいして反省を促している。結局は人間への警鐘であるのだ。

小説はストーリーのなかに闘争、葛藤、哲学的追求、恋愛もしくは失恋が仕組まれていなくてはならない。さらに小説では、暴力が実行されたとき、その理由や原因あるいはその者の生い立ちの調査が進められる。『マルドロールの歌』にはそのようなテーマや構成は見あたらない。この物語では意のままに邪悪な行為が進行するだけである。それは神への反抗と人間不信からの人間への暴虐なのである。詩的な表現で劇画化されていることで、読者は第三者のスタンスに立たされ、そこで自らに潜む邪悪をコントロールすることを促されることになる。

『ポエジーⅠ』と『ポエジーⅡ』では、『マルドロールの歌』とは正反対に、カント的な人間は先天的に理性や道徳を身につけている、と主張している。ということは、人間否定の狂人的な行為は、根源的な渇望であるとする『マルドロールの歌』とは、人類への警鐘であるのだ。

ゲーテの古典主義も、ボードレールの象徴主義も、第一世界大戦に対してアンチテーゼを突きつけることはできなかった。そういった経緯が、人間性の根源を探求するシュルレアリスムへとつき進んだといえよう。

《参考文献》

イジドール・デュカス／石井洋二郎・訳：ロートレアモン全集、筑摩書房、二〇〇五
ロートレアモン伯爵／前川嘉男・訳：マルドロールの歌、集英社、一九九一
ロートレアモン／栗田勇・訳：マルドロールの歌、現代思潮社、一九七三
ガストン・バシュラール／平井照敏・訳：ロートレアモン、思潮社、一九八四
竹田青嗣：自分を知るための哲学入門、筑摩書房、一九九三

三　前衛のはじまり・ダダイズム

三―一　『ムッシュー・アンチピリンの宣言』と『ダダ宣言1918』

ダダイズムを主導したトリスタン・ツァラは、ルーマニアの小さな町モイネシュティの裕福なユダヤ人の家庭に生れた。現在この町には鉄製の「DADA」のモニュメントがある。ダダの名称は、ツァラがラルース辞典を開いて偶然に〝ダダ〟なる語を見つけ出したからとされているが、ルーマニア語では「ダー」は肯定を意味していることから、実際のところは、「そうそう」という意味があることになる。肯定の肯定は否定の肯定として、暗に既存の意味を否定するこの運動を正統化しようという目論見があったといえる。

モイネシュティのモニュメント

前衛的な芸術運動としてのモダニズムは二〇世紀初頭に起こったが、ピカソのキュビスムなどの抽象絵画のさまざまの作法が先駆であった。文学におけるモダニズムの起点は大戦中の一九一六年にチューリヒではじまったダダイズムであったが、第一次世界大戦が勃発したのは一九一四年であった。

空中には飛行機、地上には戦車、海中には潜水艦が登場、性能と戦果を競い合うことになった。戦乱を避けてスイスの山間の都市チューリヒには、詩人、作家、画家、音楽家、舞踊家そして革命家などがやって来た。「キャバレー・ヴォルテール」というパブ兼小劇場が、彼らの集会場になっていた。キャバレー・ヴォルテールを運営していたのは、ドイツから来た詩人のフーゴー・バルであった。

一九一六年七月一四日にダダの最初の集会である「ダダの夕べ」が催された。この日はフランスの革命記念日であった。芸術と思想の革命を目論んでいたのであろう。ここでツァラは、「DADAはおれたちの強烈さだ」ではじまる『ムッシュー・アンチピリンの宣言』を朗読した。「アンチピリン」はツァラが常用していた頭痛薬のことである。この宣言を転機に、運動の中心はフーゴー・バルからツァラに移った。バルはツァラの野心的なやり方に同調できなかったことと「キャバレー・ヴォルテール」の運営が財政的に困難になったために、翌年にはチューリヒから、ドイツで政治運動に参加するためベルンへと去った。『ムッシュー・アンチピリンの宣言』は、当時の社会的慣習と芸術の批判ではじまっている。

DADAはお上品なスリッパもはかず、交わらない平行線もいらない人生だ。統一ってやつには反対でもあり、賛成でもあり。でも、未来には断固として反対する。

（塚原史訳、以下の『ムッシュー・アンチピリンの宣言』は塚原史訳による）

一行目の「交わらない平行線」はレールととれることから、既成の社会制度には乗らないということである。「統一ってやつ」とは、国家ととれることから、革命には無関心でブルジョワ側にもプロレタリア側にも組しないということだ。二行目の「未来には」は未来派を指し、イタリアの詩人マリネッティが一九〇九年にフランスの新聞「ル・フィガロ」に発表した「未来派創立宣言」のなかで、速度の美を主張したことへの拒絶である。未来派への挑戦のスタンスはさらにつづく。

おれたちは宣言する。自動車がおれたちをひどく甘やかしてきた感情であることを。自動車の抽象作用ときたら、大西洋横断汽船、騒音、観念なみの遅さだ。

ライト兄弟の有人動力飛行機の発明は一九〇三年であるが、その後は市民の交通手段ではなく兵器として発展した経緯から、自動車が科学技術の成果として挙げられたといえるが、ここでは、「自動車」を速度の美の象徴として、未来派への非難となっている。また、スピードが強く求められる社会の到来を予測して、機能中心主義に早々と反論したともいえる。さらにダダの方法論について言及している。

DADAは狂気じゃない。知恵でも、皮肉でもない。おれを見てくれ、親切なブルジョワ諸君。

「狂気じゃない」が、狂気的と言いたいのだ。伝統や常識を破壊するということでもある。この年の前半のことになるが、ツァラはパリの画商ポール・ギヨームと文通をはじめたことから、彼を通して当時のフランスで代表的な詩人であったアポリネールやルヴェルディらと交流できるようになった。そこで詩について感化されたのであろう。また、ツァラはキャバレー・ヴォルテールでレーニン（当時四六歳）に遭遇している。この年に妻のクル

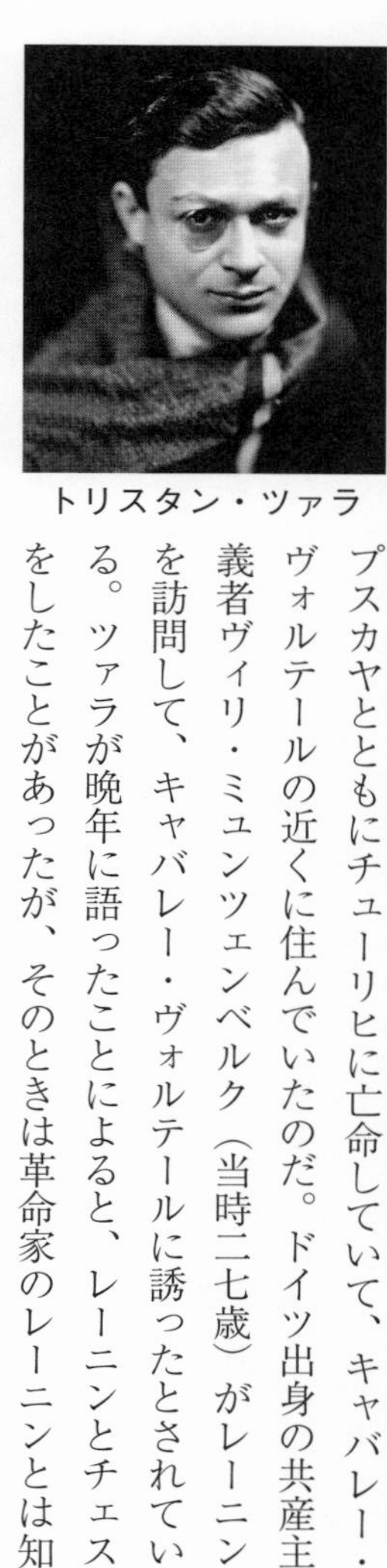
トリスタン・ツァラ

プスカヤとともにチューリヒに亡命していて、キャバレー・ヴォルテールの近くに住んでいたのだ。ドイツ出身の共産主義者ヴィリ・ミュンツェンベルク（当時二七歳）がレーニンを訪問して、キャバレー・ヴォルテールに誘ったとされている。ツァラが晩年に語ったことによると、レーニンとチェスをしたことがあったが、そのときは革命家のレーニンとは知らなかったとのことである。

チューリヒという都市は、社会や芸術の潮流からはみ出した人びとの坩堝であったのだ。

一九一八年七月一八日の「トリスタン・ツァラの夕べ」で、ツァラは『ダダ宣言1918』を朗読する。この宣言は同年一二月に雑誌『DADA 3』に掲載されて、世界中にこの運動が発信されるにいたった。この宣言によりダダイズムの枠組は決まった。はじめのところで、「おれは宣言を書くが、何も望んでいない」と切り出し、次に「☞DADAは何も意味しない」という最も重要な理念を宣言している。さらに、「DADA」の語句としての意味を語っている。

> 新聞各紙によれば、黒人のクルー族は聖なる牝牛の尾をDADAと呼ぶ。立方体と母親は、イタリアのどこかの地方ではDADAだ。木馬や乳母もそうだし、ルーマニア語とロシア語では、DADAは二重の肯定だ。（塚原史訳）

「二重の肯定」は否定を肯定するということから、否定主義を目論んでいる。一九二〇年パリでの『トリスタン・ツァラ』という宣言では、DADAの方法については、意味不明的なことを言っている。
DADAは二つの解決法を提案する。

もう視線はいらない！
もう言葉はいらない★★

もう見つめるな！
もう話すな！

というのも、おれはカメレオン、都合のいい態度にしみこんで姿を変えるのさ——あらゆる機械、次元、価格向きの色とりどりの意見——おれは、おれが他人に提案するのとは正反対のことをする★★★（塚原史訳）

これまでの科学とも文学とも違う方法の提唱である。科学的あるいは理知的な方法は人間性の追求とは相反することもある。思いつきからのイメージを表現する。それは普段の不満や不安を打ち裂き、さらに希望をも打ち棄てる。そこにあるのは無の境地ということであろう。宣言集『かよわい愛とほろにがい愛について宣言する』のⅧ章には、次の詩が載っている。

ダダの詩を作るために

トリスタン・ツァラ

新聞を持ってこい、
ハサミを手に取れ。
新聞から記事をひとつ選べ。
君の詩にあたえたい長さの記事だ。
次に、この記事を構成する単語をひとつずつ、
念入りに切り取って袋に入れろ。
袋をやさしく振ってみろ。
切り取った単語をひとつずつ取り出して、
袋から出てきた順番に、
注意深く書き写せ。
君によく似た詩ができあがるだろう。
今や、君はかぎりなく独創的な作家なんだぞ。
俗人には理解されなくても、魅力的な感受性をもった作家というわけだ★。

（塚原史訳）

この方法でツァラ自身が詩作したことはなかったとされている。しかしながら、ダダイズムのスタンスからは、意味のない事柄の羅列が、現代社会であり、現代人の思想であると言いたいのである。ここでは、新聞記事という進行中の事件や話題からの臨場感と混じり合った新しいイメージが成立している。ダダイストは事件には絶えず傍観者である。絵具の代りに新聞紙、包装紙、楽譜などを貼りつけるパピエ・コレから発展したのがコラージュであり、幾つもの関係ないものを組み合わせて、ものを現実から切り離して新しいイメージを出現させる手法である。この詩はコラージュの提唱であった。

三―二　パリのダダイズム

一九一八年に第一次世界大戦は終戦となり、チューリヒのダダイストは次々に祖国に帰国していった。シュルレアリスムの創始者であるアンドレ・ブルトンの再三の要請を受けいれて、ツァラはフランスに移住することにした。一九二〇年一月一七日、ツァラはパリに到着した。そして二月五日の集会でツァラは、ブルトンたちと「23のダダ宣言」を朗読することで、パリ・ダダが始動した。

三月二七日にメゾン・ド・ルーヴルでチューリヒでの演目であった「ムッシュー・アンチピリンの最初の天上冒険」が、ツァラ出演で上演され、好評をはくした。畳みかけるように五月二六日、クラシック音楽コンサートホールとして有名なサル・ガヴォーを貸しきって「フェスティヴァル・ダダ」が開催され、こうして世界的な芸術の潮流に押しいった。

ダダ運動に資金を出してくれていたのは、スペイン系フランス人画家ピカビアであった。意識的に試みられた最初の抽象絵画は一九〇九年にピカビアが描いた「ゴム」であったとされている。ダダイズムと抽象絵画は、モダニズムということからは通底していた。ボードレールあるいはアルチュール・ランボーもモダニズムと重なる詩法をもってはいるものの、主体はロマン主義を引き継いだ象徴主義である。ピカソのキュビスムの傑作「アヴィニヨンの娘たち」が描かれたのは一九〇七年であった。この事実からは、モダニズムは文学より美術の方が先行していたといえる。美術のモダニズムでは、美の原理や行動・事象の哲学性や人間の内面などの可視化を狙ったものであった。一方、文学においては、現代社会の渾沌や矛盾を言語によりイメージ化することで、根源の探求とそこからの克服を目ざしていた。

パリ・ダダはチューリヒ・ダダのくり返しの域を脱せずにいた。戦時中においてはあらゆる既成価値から意味を剥奪する運動であったが、戦勝国の首都パリでは無邪気な娯楽として受け入れられるようになってしまった。他方、ベルリンに戻ったダダイストのヒュルゼンベックやハウスマンは、敗戦国の悲惨な状況下で政治的過激派に転身した。「無意味」を標榜するツァラと無意識の実態を探求するブルトンとは相容れない関係になってゆく。そして、一九二一年五月一三日にダダ・グループが模擬裁判「モーリス・バレス裁判」を主催したときのことだった。裁判長にブルトンがなって、国粋主義者の作家モーリス・バレスを「精神の治安侵犯」の罪で裁くことを意図していた。証人として出廷したツァラはブルトンの尋問を煙に巻いたあげく、次の自作詩「シャンソン・ダダ」を朗読した。

シャンソン・ダダ

トリスタン・ツァラ

心臓にダダが付いているダダイスト
そんな男のシャンソンは
心臓にダダが付いているエンジンを
とってもとっても疲れさせ

エレベーターには王様ひとり
重くて脆（もろ）くて言うこときかない王様は
自分の大きな右腕切って
ローマの教皇（パップ）に送ったとさ

だからいいかい
エレベーターには
もう心臓にダダがない

ショコラを食べなされ
あなたの脳みそ洗いなされ
ダダ
ダダ
水を飲みなされ

（塚原史訳、詩集『ぼくらの鳥たちについて』一九二一年）

冒頭の「心臓にダダが付いている」とは、ダダイズムにより駆動されている人間ということであろう。全体的に意味不明であるが、軽妙なシャンソンに、殺伐とした内容を割り込ませたアンバランス的な面白さがある。第二連三行目の「自分の大きな右腕切って」という残酷な行為を、次の行で「教皇（パップ）」に突きつける。第三連最終行の「もう心臓にダダがない」は、ダダは現れては消えるものということだ。最終連の最後は「水を飲みなされ」と、冗談的に相手をなだめるという挑発で締めくくっている。「意味」に追いつめられ深刻に陥ることを拒否するのが、ダダイズムなのである。ところが、最終連二行目にある「あなたの脳みそ洗いなされ」は、ブルトンを激怒させた。彼はパリ大学で精神医学を学んだ精神科医でもあったことから、からかわれたと受けとったからである。
こうして「無意味」を追求するツァラと無意識を探求するブルトンは、訣別するにいたったが、さらに対立は深刻なものとなる。一九二三年七月六日、テアトル・ミシェルで開かれた「鬚の生えた心臓の夕べ」において、ツァラの「ガス心臓」の上演中のことであったが、ブルトンがエリュアールたちを引き連れ乗りこんで来て、上演を妨害した。事態の収拾がつかなくなり、ツァラが警察を呼んでしまい、警察隊によりブルトン一派は排除された。両者の対立は、遺恨を残すものとなってしまった。この日をもってパリのダダイズム運動は終息した。一九二四年一〇月、ブルトンは『シュルレアリスム宣言』を発表した。今日ではダダイズムは一過性のものであったとされているが、当時は厳しい主導権争いをくりひろげていたのだった。

一九二二年にツァラは評論「ロートレアモン伯爵あるいは叫び」を発表している。ロートレアモン伯爵は散文詩『マルドロールの歌』の著者であるが、本名はイジドール・デュカスで伯爵でない。埋れていた散文詩集『マルドロールの歌』を、ブルトンが「シュルレアリスム」のバイブルとして見出したのだった。悪魔の化身のようなマルドロールが、邪悪の行為をくり返す怪奇物語である。それをツァラは、次のように評価していた。

今ではよく知られているように、ロートレアモンは現代詩のランボーになるだろう。精神の独裁とは、改良や手加減などの気配りなしの提案であり、強烈さの肯定であって、あらゆる関心を、高貴で、的確で、豪奢な力のほうへ向かわせる。唯一興味を持つ価値のある力、つまり破壊の力へ。

黄金の病(マルドール)・苦痛の黄金(オール・ド・ドゥールール)
黄金の病・黄金(マルドロール)が、死が打ち倒した。

（塚原史訳）

——以下略——

ツァラはブルトンの友人のエリュアールから、パリで『マルドロールの歌』を贈られたということであるが、すでにチューリヒで読んでいたようである。邪悪にたいして、主人公マルドロールは何の良心の呵責もない。詩句一行目の「黄金の病(マルドール)」は、原文ではMal d'orで、「マルドロール」と音がほぼ一致している。Malの一般的な訳は「悪」で「病」は意訳である。orは黄金であるから、「黄金という悪」とも訳せる。deは英語のofであるので、同じ行の「苦痛の黄金(オール・ド・ドゥールール)」の原文は、or de douleurである。人は誰も、強弱はあるものの深層では黄金を渇望している、と言いたいのである。『マルドロールの歌』とダダイズムとは、破壊への熱望と過激な行動で通底している。いずれにしても、現実の物理空間ではなく、言語空間でのことである。

　第一次世界大戦中は「意味のない」ことに意味があったが、終戦とともにこの理念は求心力を失っていった。文化芸術はその時代の政治情勢に根ざしているということでもあった。

三―三　ダダイズムの代表的な詩

美術においてはダダの作品としてマルセル・デュシャンの「泉」が、有名であるが、ダダ運動が短期間で終わったことと、ダダの意味否定のスタンスから、世界的に有名な詩となるとツァラの詩に限られる。ツァラは多くの詩集を出版している。最初のものとして一九一八年の『詩篇25』、一九二九年に『ぼくらの鳥たちについて』を出版している。これらの詩集から代表作として、二篇挙げておく。

春

hアルプに

トリスタン・ツァラ

真夜中の底で花瓶に子供を入れる
そして傷口
爪の美しいきみの指でできた羅針盤
雷が鳥の羽に落ちて見えてくる
悪い水がレイヨウの脚から流れ出す

下の方で苦しんできみたちは牝牛や鳥たちを見つけたかい？
喉の渇き　檻（おり）の中の孔雀（くじゃく）の胆汁

亡命中の王様が井戸の光でゆっくりとミイラになる
菜園に
バラバラにちぎれた飛蝗（ばった）をまき散らし
蟻たちの心臓を植えつける　塩入りの霧　ランプが一つ空にむかって尻尾（しっぽ）を引く
逃走する鹿たちの腹の中にはガラス器具の細かいかけら
橋の上では短くて黒い木の枝が一つの叫びのために

（塚原史訳、詩集『詩篇25』一九一八年）

献辞の「アルプ」は、ダダイズム創立メンバーで、彫刻家・画家のハンス・アルプである。冒頭の「入れる」は「花瓶に」というより閉じた空間にということであろう。次の行の「傷口」は、メルヘン的なイメージの否定なのである。その次の行の「指でできた羅針盤」は暗喩で、その指の方向に従うということであろう。この連の終わりの「レイヨウ」は羚羊（かもしか）に似た動物である。意味不明の詩句の連続が、現代社会に呼応したイメージを立ち上がらせている。第二連三行目には詩「シャンソン・ダダ」と同じように「王様」が登場するが、「ミイラになる」からには権力の消滅が暗示されている。全体的には夏でも冬でもないファンタジーであり、春を連想する草花や陽光はないが、春への始動は感じられる。

サーカス

トリスタン・ツァラ

きみも星になった
ポスターから抜け出した像
巨大な眼球を見ろ　光線がカーブしてそこから地上に落ちている
テントの下しか見ていない眼
青白く光る下で筋肉の力は重くて鈍くて
いくつかの実例を示してぼくらに確信をあたえてくれる
軽業師たち　時には道化師たちの正確さは
待たなくてはならないのか？　体の線を歪める遠近法
この薄明かりの中ではそれも感動的だ
ここから遠く離れて
見えない手が手足を捻じ曲げる
鋼の先端の黄色いしみのすべてが数センチ近づく
サーカスの中心に
誰もが待っている
上のほうから垂れるロープ
音楽
あれがサーカスの団長だ

団長は自分の満足を見せようとしない
彼は正しい

（塚原史訳、詩集『ぼくらの鳥たちについて』一九二九年）

この詩が書かれたのは一九一七年であったが、『ぼくらの鳥たちについて』は諸々の事情で刊行されたのは一九二九年であった。サーカスの奇抜さからはじまる。軽業師も道化師も人間離れした動きである。サーカスはダダイズムのテーマとなっていた。それは、日常に突然外部から侵入し、驚きと不安のエクスタシーを与えて去ってゆくからである。最後から三行目の「あれがサーカスの団長だ」といっても、そこには「ロープ」がたれているだけ。観衆は団長を見にきているのではなく、わざや芸が勝手に進行していればよいのである。当然のことを奇抜に面白く言いあてている。

三―四　パリ・ダダイズム以後のトリスタン・ツァラ

一九二二年のドイツのワイマールでの「ダダに関する講演」で、ダダは社会や人間の営みにたいしてアウトサイダーであると語っている。

なぜ自分が生きているのか永遠にわからないのに、皆さんはいつも安易に、人生に真面目さを持ち込む傾向に引きづられてしまうでしょう。人生は言葉遊びだということを、皆さんはけっして理解しないでしょう。なぜなら、憎悪や判断や、その他多くの努力を要求するあらゆることがらに、すべては似たり寄ったりで重要なことなど何もないと思えるような、平面的で冷静な精神状態を対立させるためには、孤独になる必要がありますが、皆さんはそれができないからです。

ダダは少しもモダンではありません。むしろ、仏教に近い無関心の宗教への回帰のようなものです。（塚原史訳）

一九二四年五月、自作の演劇「雲のハンカチ」を歓楽街ピガルのシガル劇場で初演し、好評をはくする。さらにこの年の一〇月、ブルトンの『シュルレアリスム宣言』に対抗するかのように『七つのダダ宣言』を刊行する。運動としてのダダイズムは終わったが、ツァラの個人的な活動はつづいた。

一九二九年にはブルトンたちとの仲たがいは、よりを戻すにいたる。一二月の彼らの雑誌『シュルレアリスム革命』最終号に長編詩「近似的人間」の断章を発表した。ブルトンは同じ号で掲載された「シュルレアリスム第二宣言」において、ツァラを再評価した。そしてツァラもシュルレアリスム運動に参加するようになり、一九三一年には雑誌『革命に奉仕するシュルレアリスム』に「詩の状況に関する詩論」を発表した。この評論では精神活動としての詩を主張していて、詩人の政治活動への参加に同調するにいたった。

次の「近似的人間」は長編詩なので、一行目から、ブランク行は数えず、五行ごとに行番号を付けてある。この行番号で読解してゆく。

近似的人間

トリスタン・ツァラ

日曜日　血のたぎりのうえにかぶさる重おもしい覆い　一
身をちぢめ自ら内面に沈みこみ
ふたたび見いだされた一週間の重み
鐘は理由もなく鳴りそしてわれわれもまた
鐘よ理由もなく鳴れそしてわれわれもまた　五
われわれは鐘とともにわれわれのうちに鳴らす
鎖の音を楽しもう

*

われわれを鞭うつこの言語は何なのか　われわれは光のなかで驚き飛びあがる
われわれの神経は時の手につかまれた鞭であり　一〇
疑惑は彩色(さいしき)のないただ一枚の翼をつけて訪れ
遊泳する苦(にが)い魚たちへの他の時代からの贈りものである
崩れた包みの皺だらけの紙のように
みずからを締めつけ圧迫しわれわれのなかで砕ける

*

鐘は理由もなく鳴りそしてわれわれもまた　一五

果実たちの眼は注意深くわれわれをみつめ
われわれのすべてのおこないは監視される　隠されたものは何もない
川の水は川床を充分に洗った
水は眼差しの優しい糸を運び眼差しは　二〇
酒場の壁の下隅をさまよい幾多の生を舐(な)め
弱いものたちを誘惑し誘惑を繋ぎあわせ恍惚を汲みつくし
古い流れの移りかわりの跡を底まで掘り
そして囚われの涙の泉を
日毎の息苦しさに屈従する泉を解き放した　二五
陽がつくりだす明るい姿あるいは怯(おび)えがちな幻(まぼろし)を
乾いた手でつかみとる眼差し
朝ボタン穴に差した花のように締めつけられた
気づかわしげな微笑の富を投げかける眼差し
休息をあるいは悦楽を電気振動の感触を　三〇
驚愕の身じろぎを冒険を火を
確信をあるいは隷属を求める眼差し
密かなる暴風に沿って這いのぼり
街の舗石をすりへらし幾多の卑しさを施したもので償った眼差し

眼差しは水のリボンのまわりに締めつけられて続き　三五
人間の塵埃（じんあい）と幻影とを流れに浮べて運びつつ
海へとそそぐ

＊

川の水は川床を充分に洗い
光さえも滑かな波のうえをすべり
石のにぶい輝きとともに川底に沈む　四〇

＊

鐘は理由もなく鳴りそしてわれわれもまた
われわれはもろもろの気づかいを身につける
それはわれわれが朝ごとに身にまとい　四五
夜が夢の手でぬがせる内面の衣服であり
役にたたぬ金属製の判じ絵でかざられそして
循環する風景の浴室で
いけにえの殺戮（さつりく）のために準備された町で
眺望を一掃する海のちかくで　五〇
不安げな厳しさをもつ山のうえで
なげやりな苦悩をもつ村で

浄化される気づかいなのだ
手は頭のうえに重く
鐘は理由もなく鳴りそしてわれわれもまた
われわれは幾多の出発とともに発ち幾多の到着とともに着き　五五
到着とともに発ち理由もなくやや冷淡にやや厳しくそして苛酷に
他の人びとが発つときに着く
舌の音階のうえに味わいゆたかな歌をともなう
パン以上の糧であるパン
もろもろの色彩はみずからの重荷をおろしそして考える
そして考えあるいは叫びそしてとどまり　六〇
そして煙のように軽やかな果実でみずからを養い飛翔する
誰が考えるのか　言葉がその核のまわりに織りなす熱のことを
われわれの名である夢のことを　六五

＊

――以下略――

（浜田明訳、詩集『近似的人間』一九三一年）

全一九章、二三七八行からなる長編詩で、一九二五年にはじめて『レ・フイユ・リーブル』誌に一部が掲載され、一九三一年に全篇がフールカード書店から出版された。六年を費やして書きあげられた。「近似的人間」とは現代社会のシステムや伝統的な慣習に適合できない人間のことである。社会から少々はみ出した人間である。その社会の枠が、鐘の響きとなっている。もちろんそれらは、活動だけではなく、精神までも規定している。それに悩み、反抗し、活路を見いだそうとする葛藤のポエジーである。リアリズムではないことや奇怪な事象からは、シュルレアリスムである。

書き出しの「日曜日」は、一週間の反省と安らぎの時間であるにもかかわらず、次の週にも期待はもてず、憂鬱にみちている。四の「鐘は理由もなく鳴り」は、社会のシステムや制度・慣習に制約されていることである。それにつづく「われわれもまた」は、それに流されながら生きていることである。次の行の「鐘よ理由もなく鳴れ」とは、それを無視することの宣言であろう。九の「鞭うつこの言語」は、組織からの命令である。近代社会そのものといえる企業活動では、人びとは組織に組み込まれたなかで働いている。一一の「疑惑は彩色のない」の「疑惑」は、近代社会は人間オリエンテッドであるか否かである。一二の「遊泳する苦い魚たち」は、ツァラをふくめた大衆のことである。一七の「果実たち」は、静物を代表してのものと考えられ、その「眼」からは霊的な存在が立ち上がる。すべてに神がやどるというスピノザの世界観と重なる。一九に「川の水」が出てくるが、「水」は生命の根源であるとともに、自然を代表している。次の行の「眼差しの優しい糸」は、「川の水」の霊気であるが、それは生きるエネルギーをもたらしているといえる。しかしながら、二二の「弱いものたち」は酔っぱらいであり、霊気は勤勉を奨励しているわけではない。二四の「涙の泉」の「泉」は、労働者ととれる。二五の「泉を解き放した」は、酒での憂さ晴らしの容認なのであろう。二七の「眼差し」は、物に宿る物霊の視線である。二八の「朝ボタン穴に」ということは、シャツを着ることであり、一日のスタートが連想されてくる。ここでのリフレーンでくり返される「眼差し」は、近代社会を注視している物霊の目であろう。三九の「川の水」も霊気である。次の行の「光さえも」は、真っすぐ進めずくねっているのである。その次の行に「川底に沈む」とあるが、霊気は人びとの生活には立ち入らないということである。四六の「夜が夢の手でぬがせる」は、ボードレールの詩「夕べの薄明」を想い出す。夜とともに訪れる解放感のなかで、労働者は安らげるのである。五三に「浄化される気づかい」とあるが、それで社会は成り立っているともいえる。五六の「幾多の出発」と「幾多の到着」は、ボードレールの散文詩「群集」に通じている。都会とはさまざまな素性の人びとが、お互いに係わることなくすれ違っている。五九の「舌の音階」は、音楽や詩などの文化芸術の暗喩であろう。六一の「もろもろの色彩はみずからの重荷をおろし」とは、それぞれの人が工夫しながら、人生をのり切っているということであろう。六三の「煙のように軽やかな果実」は、文化芸術のことといえる。次の行の「言葉が」は、詩のことであり、最終行の「夢」は、シュルレアリスムのことであるととれる。

悲観的や厭世的な感情が綴られているにもかかわらず、楽観的なことも散りばめられている。ダダイズムの破壊志向から抜け出し、建設的なスタンスとなっている。シュルレアリスム的な常識から逸脱した独白や奇怪な行為・事象を通して、人びとにエネルギーを注入することを目ざしているのだ。現代社会の、風俗や生活の断面を奇抜に羅列しながら文化芸術と詩に光明を見出している。それは反近代化、反国家権力、平和主義のイメージを出現させている。

ツァラとブルトンは、政治的な路線の違いから再び対立するようになる。ツァラはフランス共産党を中心とする議会内左翼の側に傾き、ブルトンは反議会主義的シュルレアリスムを推し進めようとしたのだった。

第二次世界大戦がはじまると、一九四一年にマルセーユから船でアメリカに渡ったブルトンに対して、ツァラは南フランスで反ナチスのレジスタンス活動に参加する。そして彼は戦後間もない一九四七年、フランス国籍を取得した直後にフランス共産党に入党する。この年、ソルボンヌ大学で「シュルレアリスムと戦後」という講演を行い、戦時中にブルトンがフランスを離れたことで、シュルレアリスムが不在になったことを糾弾した。ところがブルトンが会場に来ていて、講演の最中に立ち上がって、ツァラを非難するという事態になった。そのとき、さし出されたコップの水をブルトンは笑って受け取り、「この水は飲んでもよい」と言ったという伝説がある。両者の対立は、表層的なものになっていたのであろう。またツァラにしても、戦時中はレジスタンス活動をしていたことから、文学活動は控えなければならなかった。
シュルレアリスムはダダイズムの意味にとらわれない表現手法をとり入れて発展したが、完成の域に近づくにつれてダダイズムを排除した。モダニズム系である、イマジズムのパウンドや主知主義（インテレクチュアリズム）のエリオットも、ダダイズムの言葉の既存の意味にはとらわれないとする志向の影響を受けたはずである。第二次世界大戦後にダダイズムが復活することはなく、シュルレアリスムと主知主義がモダニズムの主流として詩と文学の潮流をリードしてゆくことになった。

三―五　ダダイズムとは何か

ダダイズムが伝統的な文化芸術ならびに既成の言葉の意味を破壊する運動であったということからは、ギリシャ文明からの伝統であった美術におけるリアリズムを否定したピカソのキュビスムと共通している。ダダは作品から意味を追放した。それは観念的な言葉の意味やこれまでの表現方法の破壊でもあった。さらに『ダダ宣言１９１８』においてシステムという秩序と一体となったものを否定している。

おれはシステムに反対する。いちばん受け入れられるシステムは、原則としてどんなシステムももたないシステムだ。（塚原史訳）

現代社会はことごとくシステムで成り立っている。それを排除するということではなく、文化芸術からは排除することで、社会の潮流にアンチテーゼを突きつけている。ダダの反芸術とは雑然や渾然を芸術として表現することであり、そこから読者がストーリーを組み立て、理念を見出す趣向である。この反芸術を感得することで、逆に人生へのやる気が駆動されるのである。

ダダイズムにより創出された世界は、近代社会への懐疑と抵抗のスタンスで生きてゆくための、ストレスの解消と倦怠の浄化をもたらしたといえる。企業間の競争や組織内の闘争などが実態である現代社会に対応するように、ダダの詩句は奇想天外につづられ、断片的な内容は意味不明ながら何らかのイメージを立ち上げている。そこから読者は何らかのストーリーをつくるか、芸術的あるいは人間オリエンテッド的なイメージを想起できれば、生きているという実感がわいてくる。そうでないとダダは戯れに終わってしまう。ダダイズムの奇想天外な行為・事象やコラージュなどの詩法は、シュルレアリスムに引き継がれた。そしてダダイズムは、詩のモダニズムを理解するには、欠かせない入口でもあるとともに、モダニズムの本質を開示している。

《参考文献》
ツァラ／塚原史・訳：ムッシュー・アンチピリンの宣言――ダダ宣言集、光文社、二〇一〇
ツァラ／ルネ・ラコート・編、浜田明・訳：ツァラ詩集、思潮社、一九九五
浜田明・訳：世界文学全集　78、講談社、一九七五
マシュー・ゲール／巖谷國士、塚原史・訳：ダダとシュルレアリスム、岩波書店、二〇〇〇

四　シュルレアリスムと『シュルレアリスム宣言』

四―一　『シュルレアリスム宣言』

第一次世界大戦は一九一四年から一九一八年までつづいたが、それは思想哲学だけでなく、文化芸術にたいしても二〇世紀におけるエポックをもたらした。思想哲学では現象学・実存主義、文化芸術ではモダニズムが台頭したということだ。そのモダニズムの先駆けであるダダイズムがはじまったのは第一次世界大戦中の一九一六年であった。ダダイズム運動は発展するかに思えたが、少なくともチューリヒでのダダ運動は行き詰り、一九一九年にこの運動を主導したトリスタン・ツァラはパリに移り、アンドレ・ブルトンのグループと合流する。運動としての勢いを失ったダダイズムは、シュルレアリスムに吸収されるにいたった。そして一九二四年に弱冠二八歳のアンドレ・ブルトンは、『シュルレアリスム宣言』を発表した。ここからブルトン・グループを中心にシュルレアリスム運動がはじまった。他方、このグループが、シュルレアリスムという文化芸術の領域を創出したわけではない。その萌芽は、一九世紀のイジドール・デュカス

ブルトン（左）とアラゴン

（ロートレアモン伯爵）の散文詩『マルドロールの歌』だけでなく、一八世紀のサドの小説、一九世紀のランボーの散文詩などにも存在していたからだ。とはいっても、シュルレアリスムを体系的にまとめ上げ、それを提唱したのは、『シュルレアリスム宣言』であった。『シュルレアリスム宣言』は、どのようにシュルレアリスムを捉えているかを、まずたどることにする。まずベースにある原理は自由である、と掲げている。

自由というただひとつの言葉だけが、いまも私をふるいたたせるすべてである。思うにこの言葉こそ、古くから人間の熱狂をいつまでも持続させるにふさわしいものなのだ。（巖谷國士訳、以下の『シュルレアリスム宣言』は巖谷國士訳による）

狂人の発想もとり入れるべき、とも述べている。

狂人たちの打明け話、これをさそいだすためなら、一生をついやしてもいいくらいだ。彼らは謹厳実直なところのあるひとびとで、その無邪気さも、私の無邪気さのほかにくらべられるものがない。

次に、文明の進歩にはそぐわないとして、迷信や妄想が排除されている現状に異議を唱えている。

経験は、経験もまた、直接的効用によりかかり、良識の監督をうけている。文明という体裁のもとに、進歩という口実のもとに、当否はともかく迷信だとか妄想だとかきめつけることのできるものはすべて精神から追いはらわれ、作法にあわない真理の探究方法はすべて禁じられるにいたったのだ。

結局、夢のなかにも現実が存在しているとの見解にいき着いている。

私は、夢と現実という、外見はいかにもあいいれない二つの状態が、一種の絶対的現実、いってよければ一種の超現実のなかへと、いつか将来、解消されてゆくことを信じている。その征服こそが私のめざすところだ。

夢のなかの現実を超現実であるとしている。そして次のようにシュルレアリスムを宣言した。

さきごろ亡くなったギョーム・アポリネールは、私たちの見るところこの種の誘惑にいくども身をゆだね、そのくせ月並みな文学的手段を犠牲にしなかった人物のようだが、そのギョーム・アポリネールに敬意を表する意味で、スーポーと私とは、すでにふたりで自由にしており、はやく友人たちにその恩恵を享受させたいとのぞんでいたこの新しい純粋な表現方式を、シュルレアリスムの名で呼ぶことにした。

「シュルレアリスム」という造語をはじめて用いたのは、一九一七年、アポリネールであった。戯曲『ティレシアスの乳房』（シュルレアリスム劇、一九一七年上演、翌年出版）の序文に、「人間は歩行をまねようとして、脚とはちっとも似ていない車輪をつくりだした。このようにして人間は、知らず識らずにシュルレアリスムを実践したのだ」（巖谷國士訳）とある。ここでのシュルは、現実をのり超えることであり、ブルトンとは違っていた。ブルトンのシュルレアリスムは、その方法は自動記述であるとしている。

シュルレアリスム。男性名詞。心の純粋な自動現象（オートマティスム）であり、それにもとづいて口述、記述、その他あらゆる方法を用いつつ、思考の実際上の働きを表現しようとくわだてる。理性によって行使されるどんな統制もなく、美学上ないし道徳上のどんな気づかいからもはなれた思考の書きとり。

さらにそのやり方を具体的に述べている。

あらかじめ主題などは考えずに、記憶にとどめたり読みかえしたくなったりできないほどすばやく書きたまえ。最初の文句はひとりでにやってくるだろう。事実そのとおりで、私たちの意識的思考とは無縁な、ひたすら表にあらわれることだけをもとめる文句が、刻々と生れてくる。

そして心にやって来るさまざまな事柄やイメージは、意志や知力の外側にあるとしている。

シュルレアリスム的なイメージについては、あの阿片によるイメージとおなじようなことがいえる。つまり、もはや人間のほうからよびおこされるものではなく、「自然発生的に、うむをいわさず人間にさしだされるものである。人間はこれを追いはらうことができない。なぜなら、意志はもはや力をもたず、もはや諸機能を支配してはいないからである。

これらのことから、巖谷國士は「オブジェ（objet = 客体）」の表現であると書いている。

むしろ、人間におとずれる客観的なものたち、つまりオブジェたちが生起し表現されるものがシュルレアリスムですから、いいかえれば、主観にもとづいて幻想を展開するのではなく、むしろ、人間に客観がおとずれる瞬間をとらえるのが、シュルレアリスムの文学や芸術のありかただということもわかってくるでしょう。

（『シュルレアリスムとは何か』）

自動記述のスピードを上げてゆくと、しだいに「私」が消えてゆくと、巖谷は指摘している。

さて、書くスピードをもっともっと速くするとどうなるかといえば、「私」がいなくなって、「だれか」が出てくる。「だれか」が「私」のことを書いているような状態になります。

（前出）

このことから、シュルレアリスムはオブジェの表出ということになる。このようにしてブルトンは、自動記述の実験からシュルレアリスムの原理を導き出し、シュルレアリスムの枠組みをまとめあげた。ここからさまざまに世界中へとひろまり、発展してゆくことになる。ブルトンは〝シュルレアリスムの教皇〟とも呼ばれるようになった。

シュルレアリスムは日本語では、超現実主義と訳されているが、フランス語の「シュル」は「超える」という意味だけでなく、「過剰」とか「強度」を意味することもある。「シュル」は後者にあてはまる。日本語でも「超かわいい」という言い方をするが、この場合の「超」にほぼちかい。よって、シュルレアリスムの現実は、現実を支えている現実というようなことである。

四―二　『溶ける魚』とシュルレアリスムの世界

ブルトンは一九一九年に実験的な自動記述をスーポーと共同で行い詩集『磁場』を書きあげる。その後、断続的に実験をくり返しながら自動記述で書いた小話集が、『溶ける魚』である。

『シュルレアリスム宣言』は『溶ける魚』ができあがった後で、「序文」として書いたものであった。アポリネールが唱えた「シュルレアリスム」に同調する動きもあったことから、ブルトンは「序文」ではなく『シュルレアリスム宣言』として発表したのだった。このなかで小話集の題名「溶ける魚」について説明を加えている。

> 溶ける魚といえば、私こそがその溶ける魚なのではないか、げんに私は〈双魚宮〉の星のもとに生れているし、人間は自分の思考のなかで溶けるものなのだ！　シュルレアリスムの動物界と植物界は、おいそれと打ちあけられないものである。

「溶ける」は主観の消滅といえる。さらに「魚」は空間を泳いでいることから、自在な運動を意味している。また、シュルレアリスムの中心的な手法は、唐突な組み合わせであると言及している。

> シュルレアリスムの諸手段はそのうえ、さらに拡大されることをもとめるだろう。ある種の結合から好ましい唐突さを得るためならなんでもいい。ピカソやブラックの貼り紙（パピエ・コレ）は、もっとも洗練された文体の文学的な展開のなかに、なにか常套句をもちこむのとおなじ価値がある。

最後から二行目にある「常套句」は、貼り紙（パピエ・コレ）での新聞紙や包装紙にあたる。芸術的な造形に実用が割り込む妙趣である。『溶ける魚』は三二篇からなる小話集であるが、散文詩集ともいえる。短編小説的なものとエッセイ的なものとに分けられるが、ほとんどが短編小説的である。各篇に題名はなく、シーケンス番号が付けられているだけである。題名がないことも、内容の理解を難しくしている。『溶ける魚』の数篇を読解する。シーケンス番号6は、第6篇ということになるが、それは次の小話である。

大地は私の足の下にくりひろげられる新聞にすぎない。ときたま写真が目にはいり、それはいくらか興味のあるものだし、花々はそろってその匂いを、印刷インクのいい匂いを立ちのぼらせている。若いころにきいた話では、熱いパンは病人にはがまんのならぬものだそうだが、それでもくりかえしいおう。花々は印刷インクの匂いをたてていると。木々は木々で、多少ともおもしろいところのある三面記事でしかなく、こちらでは放火犯、あちらでは脱線事故。さて動物たちといえば、もうずっと以前に、人間たちとの交渉から身をひいてしまった。――以下略――

（巖谷國士訳、以下の『溶ける魚』は巖谷國士訳による）

冒頭の「大地」は「新聞にすぎない」については、逆説的に「新聞」は「大地」でもあるということであろう。二行目の写真の「花々」からは、「印刷インクのいい匂い」がしてくるという。「花々」の先入観から、不思議と「いい匂い」が感じられてくる。後ろから三行目の「放火犯」やその次の行の「脱線事故」の三面記事は、「木々」の風景に見えているのであろう。絵具で描く代わりに新聞紙、包装紙、楽譜などを貼りつけるパピエ・コレから発展したのがコラージュであり、幾つかの関係ないものを並べて、ものを現実から切り離して新しいイメージを出現させる手法である。この詩では、さまざまな事件や事柄のコラージュともなっている。

第9篇は、『マルドロールの歌』のイメージと重なるところがあるとされている。

けがれた夜、花々の夜、喘鳴(あえぎ)の夜、酔わせる夜、音のない夜よ、おまえの手は、四方八方の糸、黒い糸、恥ずべき糸にひきとめられている卑しい凧(たこ)だ！ 白と赤の骨の野原よ、いったいどうしたのだ、おまえのけがらわしい樹々を、おまえの高木性の無邪気さを、そして、びっしりならぶ真珠や花々にかざられ、まあまあの銘句やどうとでもとれる意味のはいっているひとつの財布にひとしいおまえの誠実さを？ そしておまえ、盗賊よ、盗賊よ、ああ、私を殺すのだな、私の目のなかのおまえのナイフをむしりとる水の盗賊よ、おまえにはこれっぽちの憐みもないのか、光かがやく水よ、いとしい清めの水よ！ 私の呪いは、おまえたちのほうに金雀児(えにしだ)のほうきをゆすっているこわいほど美しいひとりの少女のように、長いあいだおまえたちにつきまとうだろう。――以下略――

一行目の「夜」は、「手」であり、それは「卑しい爪」だという。呼びかけのスタイルや、怪奇的な設定、奇抜な比喩と擬人法が、『マルドロールの歌』の作風と似ている。呪いをかけている行動は、主人公のマルドロールに通じている。真似たというより、かつて読んだことのある『マルドロールの歌』のイメージが、無意識のうちに湧いてきたのであろう。

第16篇は、雨からの発想の小話である。

雨だけが神聖であり、だからこそ、嵐が頭上で大きな袖かざりをふるって財布を投げおとしてくるとき、私たちは森の木の葉のおののきにしか釣りあわないちょっとした反発の身ぶりをする。雨のフリルを胸につけた大貴族たちがある日のこと馬で通りかかるのを見かけ、〈善良なはたご〉へとむかえいれたのはこの私である。黄いろい雨があって、これは私たちの髪ほどに幅ひろい滴(しずく)をまっすぐ火のなかにおとしてその火を消すものだし、また黒い雨があって、これはおそろしい愛想のよさで私たちの窓ガラスを流れくだるものだが、それでも忘れるまい、雨だけが神聖なのである。——以下略——

街も山も全体を蔽うように降りそそぐ雨は神聖であるが、水滴以外のものまで降ってきては、それが財布であっても、嫌悪せざるをえない。冒頭の「神聖」は、「反発の身ぶり」とは相反していて、イロニーとなっている。四行目の「黄いろい雨」とその二行後の「黒い雨」は抽象絵画的な様相をもたらしている。雨から生じる奇怪な情景を美へと変容させている。
第25篇は詩人仲間のエリュアールの失踪事件を題材にしている。

彼はどんな男か？　彼はどこへ行くのか？　彼はどうなったのか？　彼のまわりの沈黙は、彼のもっとも貞節な思考であったあの一足の靴下は、あの一足の絹の靴下は、どうなったのか？　彼は自分の長くつづく斑点を、自分の狂ったガソリンの眼を、自分の人間交叉路のざわめきをどうしたのか、彼の三角形と彼の円とのあいだには何がおこったのか？　それらの円は、彼の耳にとどく物音を浪費していたし、それらの三角形は、だれかがもう眠る時間だといいにくるとき、白い影をもつ使者がもう眠る時間だといいにくるとき、賢い者たちの行かないところへ行くために彼のはめる鐙（あぶみ）だった。――以下略――この月長石の宵々に、風のテーブルの上でなかば空（から）になったグラスをゆすりながら、彼はインド人のように空気の刃の上で何を聞いていたのか？　私は彼ほど強くないし、私の上着にはボタンがないし、私は道理を知らないし、森の波におそわれた町のなかへ、真っ先にはいってゆくことはないだろう。けれども、もし私が嘘をついているのなら、どうか白栗鼠（りす）の血を一滴めぐんでほしい、そして雲たちよ、私が林檎の皮をむくときにどうか、私の手のなかにあつまってきてほしい、これらの布切れはひとつのランプになる、牧場のなかでひからびるこれらの言葉はひとつのランプになる、空にむけてさしあげた私の腕のグラスがないのだとすれば、私はそのランプを死んだままにすることはないだろう。

ある事件を題材にすることは、あらかじめテーマは設定しないとする自動記述に反している。自動記述といえども、テーマをとっ掛かりにスタートすることもある。二行目の「一足の靴下」は、その日常性からイロニーとなっている。四行目の「三角形」はイデオロギー、「円」は文化芸術ととれる。ミステリー小説仕立てで、面白さを狙った作意が感じられるが、デフォルメと抽象化された表現はモダニズム的である。

最後から六行目の「森の波におそわれた町」は、密林の奥地の町といえる。最後から三行目の「これらの布切れ」については、「布切れ」は詩で、「ランプ」は光明なのであろう。失踪者の彼のことを追想しているものの、最後には、語り手の方は、詩に人生の活路を見出そうとしているのである。

第30篇は日常での室内の風景である。

青い眼をした集中暖房装置が、黒板の上の白い座標のまなざしをこちらにあげ、OXとOYの長い両手を私の上で交叉させながらいうには、

「踊子よ、きみはもうぼくのためにしか踊らないでくれ、まがいものの草で足首にむすびつけられているきみの白いサンダルは、ぼくのためにだけ解かれるだろう。いまは眠る時間、きみがもっと裸になって踊る時間だ。まだきみをとりまいているこれらのヴェールをおとしてくれ、そして手を、きみが夢のなかにめばえさせている純粋な季節にのばして

くれ、これらの季節には、こだまはもはや海中をすすむ魚たちの大シャンデリアでしかなく、これらの季節には、愛はもはや月の輪と燃えあがる動物たちとにおおわれたひとつの頭しかもたないのだ、愛は、この蝶の計量単位(ステール)は。」

扉が私にいうには、

「これっきりもうわたしを外にむけてとざしてほしい、この針には、あなたのいだくいちばん美しい幻想でも糸を通すことはできない。それほどいまは真っ暗だ。わたしを罰してほしい、そう、罰してほしい、女たちを罰して不可思議な病を歌わせるように、それは赤毛の女たち、なぜなら、火のなかでは女はみんな赤毛なのだから。」——以下略——

物体を精霊とするストーリーである。冒頭の「青い眼をした」は、完全燃焼の青い炎からの連想であろう。一行目の「OXとOYの長い両手」からは、メカニカルな形象が彷彿できる。ここでの暖房装置は、エロティシズムを求めている。扉の方は、闇の中での消滅を欲しているようだ。装置や器具にもそれぞれの願望があることを、人は意識させられることもある、と言いたいのだ。

巖谷國士は『溶ける魚』の到達しえた詩境について言及している。

> そしてそのプロセスのうちに、あのなまなましい臨場感と、独特の非充足感、宙吊りの感覚が育ってゆく。

「溶ける魚」の意味を再度ここで考えると。「魚」とは魚座という星座の人ということでブルトンその人のことであり、また「魚」は三次元空間に生存していることから、自由や自在の比喩となっている。さらに「溶ける」は精神の底部へ潜行することであり、それは深層意識の映像(ビジュアル)化ということになる。『溶ける魚』に登場する人物は、とりとめもない奇行をくりひろげ、出来事は現実とはかけ離れている。意味不明な行為や独白がつづく。現代は意味や目的を追求しすぎることへのアンチテーゼなのである。奇怪な、あるいは唐突な出来事、出会い、言動については、宮沢賢治の心象スケッチの詩、例えば「真空溶媒」などに似ているが、テーマや夢想の仕方は、かなり違っている。賢治は見ている風景や人物を法華経の世界へと写像していることが多い。田園を歩きながら内面に浮かんできた風景であることから、歩いているリズムも加わっていて、むしろ『溶ける魚』より臨場感がある。「真空溶媒」の冒頭のところを挙げておく。

真空溶媒

宮沢賢治

融銅はまだ眩(くら)めかず
白いハロウも燃えたたず
地平線ばかり明るくなつたり陰(かげ)つたり
はんぶん溶けたり澱んだり
しきりにさつきからゆれてゐる

おれはあたらしくてパリパリの
銀杏(いてふ)なみきをくぐつてゆく
その一本の水平なえだに
りつぱな硝子のわかものが
もうたいてい三角にかはつて
そらをすきとほしてぶらさがつてゐる
けれどもこれはもちろん
そんなにふしぎなことでもない
おれはやっぱり口笛をふいて
大またにあるいてゆくだけだ
——以下略——

（詩集『春と修羅』一九二四年）

九行目で「硝子のわかもの」があらわれたことで、物理空間は別次元空間に変容する。これは変幻自在の法華経の空間にも通じている。『溶ける魚』の方は、夢想的な風景、場面あるいは行動が、関連なくいれ代ってゆくが、その裏側には神話や伝説がないことから、物語としてのリアリティーは乏しい。しかし、行為の目的も思考の主旨も分かりかねる展開は、思索すると理屈に合わない世界を立ち上げている。人は現実にはありえないことを、深層では夢想しているのであろう。そのことで精神を充電させているといえる。

『溶ける魚』は散文詩とも短編小説・エッセイともいえそうであるが、事実を題材としているものもあるものの、それらは着想を得ているだけで、あくまでも想像と思いつきによるフィクションが中心で、内容の奇抜さからも散文詩である。

四―三　シュルレアリスムの代表的な詩

象徴主義の詩人であるアルチュール・ランボーは、イジドール・デュカスとともにシュルレアリスムの始祖とされている。ランボーは、「見者の手紙」と呼ばれる数通の書簡において、新しい詩法を説いているが、そのなかの一通、一八七一年のジョルジュ・イザンバールへ宛てた手紙では、シュルレアリスムの原理に合致した詩法を提唱している。

> 今のところは放蕩のかぎりをつくしています。なぜと仰言るのですか？　ぼくは詩人になりたいのです。そしてヴォワイヤン（見る人）になりたいと努めています。貴方には何のことかさっぱりお判りにならぬでしょう。ぼくだってほとんど説明の言葉に苦しむのです。凡ゆる官感を放埓奔放に解放することによって未知のものに到達することが必要なのです。苦悩は大へんなものですが、しかも強くあらねばならず、生れながらの詩人であらねばなりません。そしてぼくは自分を詩人であると確認したのです。で

アルチュール・ランボー

もこれはなにもぼくが悪いわけではないのです。我れ思う、なんて言うのは誤りです。他人が吾れについて考える、と言うべきです。地口を言っているようで御免下さい。『我れ』は一個の他者であります。木片がヴァイオリンであることが判ったとしても止むをえないことです。無意識野郎は糞喰えですが、彼らは自分自身わけも判らぬことに詭弁を弄しているのです！（平井啓之訳）

最後から七行目でデカルトの「我れ思う」を否定した上で、私が考えるのではなくて、「他人が吾れについて考える」ように考えるのが詩人である、という詩法を説いている。さらに、私は「一個の他者であります」とも言明している。自動記述において書くスピードを上げてゆくと、「私」がいなくなって、「だれか」が「私」のことを書いているような状態になることに当てはまる。このことは、主観から抜け出して、理性に縛られない、客体としてさまざまなことが想い浮かんでくるということである。

ランボーの代表的な韻文詩である「母音」は、象徴主義の詩としても知られている。しかしながら、この詩からはシュルレアリスムの詩法上のルーツを見出すことができる。それぞれの母音を色に結びつけているが、これらの関係は、『ＡＢＣ（アーベーセー）読本』を参考にしたといわれている。

母音

ランボー

A（アー）は黒、E（ウー）は白、I（イー）は赤、U（ユー）は緑、O（オー）は青。母音たちよ、
ぼくはいつの日か、眼に見えぬきみたちの誕生を語るだろう。
A（アー）、ひどい悪臭のまわりを唸って飛ぶ、きらめく蠅たちの、
毛の生えている黒いコルセット。暗闇に浮かぶ入り海。
E（ウー）、靄とテントがかもしだしている、あどけなさ。
誇らかな氷河の槍。白髪の王たち。繖形（さんけい）花の身ぶるい。
I（イー）、緋の衣。吐かれた血。怒りのさなか、あるいはまた、
悔悟した酔いごこちのさなかの、美しい唇の笑い。

U（ユー）、天体の循環する時間。緑なす海の神々しいおののき。
動物たちが散らばっている、放牧の荒野の平和。
錬金術が、その研究に殉じる広い額に刻んでいる、小皺の平和。

O（オー）、甲走る（かんばしる）ふしぎな叫びに満ちた、最高級の喇叭。
もろもろの世界と天使たちに横切られた、かずかずの沈黙。
——おお、オメガ、あのひとの双の瞳の紫いろの光線！

（清岡卓行訳、一八七一年）

音を色につなげることは、音と色の共感覚から霊的境地や宇宙的空間を立ち上げていることになり、照応にもとづいたボードレールの象徴主義を実現している。その照応とは、別々の感覚が同時にはたらくと、形而上学的空間や無限空間を感知できるということである。他方、この詩ではそういった空間だけではなく、シュルレアリスム的な夢幻の空間が浮かんでくる。それぞれの母音に呼応した事柄が描写されているが、それらがコラージュとなって新たなイメージを創り出している。象徴主義とともに、シュルレアリスムも成り立っている。文学者のロベール・フォリソンは、「母音」は性交における女体を表現していると論じた。これも意外と的を得た解釈とされている。フランス文学者で詩人の渋沢孝輔は、読者それぞれの世界観にもとづく解釈ができると書いている。

一篇の詩作品は、或る人にとっては何の意味もない言葉の遊びであり、或る人にとっては性交時の女体の絶妙な描写であり、或る人にとっては深遠な宇宙的秘儀の見事な解説と映るだろう。だがいずれにせよそれはいくつかの言葉の集合体としての一篇の詩作品である。

（『文芸読本　ランボー』）

この詩では読者ごとの世界観から、さまざまなイメージが立ち上がってくる。文学者のアンリ・ペールはランボーには現実を超えようとするものがあると書いている。

詩人に与えられた役目は、人々が生命のないものと思いがちな事物を翻訳すること、普通の人間より一層身近に感得した何か壮大な宇宙的な力を表現することである。

（堀田郷弘・岡川友久訳、『象徴主義文学』）

ブルトンはランボーをシュルレアリスムの始祖とみなしたが、ランボーの詩について、「初めに際して肝要なのは理解することでなく、愛することだ」（堀田郷弘・岡川友久訳）と書いている。

ブルトンと同時代のシュルレアリスムの代表的な詩人には、ジャック・プレヴェール、ルイ・アラゴン、ポール・エリュアール、さらにブルトン以後ではオクタビオ・パスなどがいるが、アラゴンとエリュアールはシュルレアリスムと決別し共産主義運動に身を投じた。シュルレアリスムは現実を批判し否定するということから、マルクス主義と重なり合うところがあったといえる。

ブルトンより四歳若いジャック・プレヴェールは、一九二五年にシュルレアリスム運動に参加するが、三年後には離脱した。一説にはブルトンとアラゴンが映画というジャンルを認めようとしなかったことに端を発したとされている。プレヴェールは映画のシナリオ作家やシャンソンの作詞家としても活躍した。シャンソン「枯葉」を作詞している。

　　ぼくは見た　奴らの何人かを……
　　　　　　　　ジャック・プレヴェール

ぼくは見た　奴らの一人が他人の帽子の上に座ったのを
奴は青ざめていた

奴はふるえていた
奴は何かを待っていた……何でもいいから何かを……
戦争とか……世界の終わりとか……
奴には絶対に出来なかった　人のために何かすることを
しゃべること
そして〈自分の帽子〉を探している別の奴は　なおさら青ざめていた
別のそいつは
で　そいつもまたふるえていた
そしてたえず繰返していた
おれの帽子……おれの帽子……
そして奴はさめざめと泣きたいのであるらしかった
ぼくは見た　奴らの一人が新聞を読んでいるのを
ぼくは見た　奴らの一人が旗なんかにおじぎしているのを
ぼくは見た　奴らの一人が喪服を着ているのを
奴は懐中時計をもっていた
時計の鎖を
財布
レジオン・ドヌール勲章

そして鼻眼鏡（パンスネ）を。
ぼくは見た　奴らの一人が子の手をひいているの
そして大声でわめいているのを……
ぼくは見た　奴らの一人が犬を連れてるのを
奴らの一人が仕込杖を持ってるのを
泣いているのを
ぼくは見た　奴らの一人が教会なんぞに入って行くのを
ぼくは見た　別の一人がそこから外へ出てくるのを

（飯島耕一訳、詩集『パロール』一九四六年）

ジャック・プレヴェール

書き出しの「奴らの」とは群集のこととすると、ボードレールの散文詩「群集」が想起される。ボードレールは群集にたいして感情移入をくわだてていたが、プレヴェールは群集の実態を注視しているにとどめている。四行目の「奴は何かを待っていた」は、自分を見失っているということだ。次の行の「戦争とか……世界の終わりとか……」という妄想が、そのことを示している。八行目の「〈自分の帽子〉を探している別の奴」は、性善説の信奉者で、〈自分の帽子〉が尻に敷かれているとは思いもよらないでいる。彼のような悲観主義者と呼ばれる人びとは日々、何かに怯えている。無目的な普段の行動に、その人の性格や本性は露出しているということである。また、逆に気持は入っていないにもかかわらず、習慣とか風習だからということで、その行動をしていることもある。

ひまわり——ピエール・ルヴェルディに

アンドレ・ブルトン

夏の始めの夕暮れ　中央市場(レ・アル)を通り抜けた旅する女は
爪先で歩いていた
絶望が空に　そのとても美しい巨大なマムシ草をころがしていた
そしてハンドバッグには　神の代母だけが嗅ぐ
ぼくの夢　あの気つけ薬の小瓶が入っていた
茫然自失の状態が　レストラン〈煙草を吸う犬〉に
湯気のように　ひろがっていた
その店には賛成と反対がちょうど入って来たところだった
若い女は彼らから　はすかいにしか見えなかった
——略——
パリのまっ只中で一軒の農家が繁栄していた

そしてそのいくつもの窓は銀河に面していた
しかし不意の来訪者たちのせいで　今なお誰一人そこに住んでいなかった
ある者たちは　この女と同じく泳いでいる様子をしている
そして愛の中には　ほんのわずかな彼らの本質が含まれている
その本質が彼らを内面化する
ぼくはどんな感覚器官の力にもとらわれない
しかしながら　ある夕方　エチエンヌ・マルセルの像の近くの
灰の髪の中で歌っているコオロギは
ぼくに〈わかった〉という目くばせをした
アンドレ・ブルトンよ　通れ　とコオロギは言った

（飯島耕一訳、詩集『地の光』一九二三年）

厭世的な気分でレストランに居座っている。二行目での「爪先で歩いていた」というのは、気どった歩き方の女が、入ってきたのだ。八行目の「賛成と反対がちょうど入って来た」とは、ビジネスの喧騒がもち込まれたのである。後半ではパリの街中に農家があらわれる。夢幻の場面への飛躍である。最後から九行目の「不意の来訪者たち」は、街中からやって来てさ迷っている未知のカップルたちであろう。最後には、コオロギに彼女との愛の進行を促される。一九二三年、中央市場（レ・アル）を代表する店だったレストラン〈煙草を吸う犬〉

で妻となるジャクリーヌ・ランバと偶然に出逢ったエピソードを、シュルレアリスム的なドラマに仕立てている。その夜パリの街を二人は彷徨した。
オクタビオ・パスは一九一四年生まれのメキシコ出身であり、一九四六年から五〇年にかけて外交官としてフランスに滞在した。この時期にブルトン・グループと交流するようになり、シュルレアリスム運動に協力した。一九九〇年にノーベル文学賞を受賞している。

頂上と重力

オクタビオ・パス

一本のゆるがぬ木がある
他の一本は前進する
　木々の大河が
ぼくらの胸を叩く
　それはよろこびだ
みどりの大波
きみはあかいものを着ている
あの燃える年の
　手桶
燃え残りの薪　肉身（からだ）

　　星　くだもの
ぼくが食べる太陽
　　時間は光の
深淵に憩う
幾つかみかの影　小鳥たち
かれらの嘴は夜を構築する
かれらの翼は昼を支える
光の頂きにしっかり立って
固定と眩暈（めまい）のあいだにあって
　きみは
半透明の秤だ

（飯島耕一訳、詩集『東斜面』一九六九年）

オクタビオ・パス

題名の「頂上と重力」の、「頂上」は自然を表象していて、「重力」は高低差により運動を出現させることから、人や動物の活動の換喩であろう。具象的な描写のない心象風景である。冒頭に「一本の」とあるが、さらにまた木があらわれ、三行目で「木々の大河」となる。五行目の「それはよろこびだ」は、自然讃美ととれる。

七行目の「きみはあかいものを着ている」からは、火を用いている人の営みが見えてくる。一一行目の「星　くだもの」は抽象絵画的なイメージの挿入といえる。次の行の「ぼくが食べる太陽」には、太陽との一体感がある。そこから三行目の「小鳥たち」は、夜は物体のように森に潜み、昼は空に羽ばたく。最終行に「半透明の秤」とあるが、人間は自然とバランスをとりながら生きている「半透明の秤」といえよう。

普段とは異なった行動、有りそうにない出来事や事象、非現実的な夢幻のストーリーなどの中には、人間の恐怖、不安と欲望、憧れなどのプリミティブな感情が噴出している、あるいはにじみ出ているのである。人びとが回避したい過激な現実、あるいは希求したいことを言語空間の中で感知することで、人間性の解放とオリジナリティのある安穏をもたらすのがシュルレアリスムなのである。

四―四　シュルレアリスムとは何か

巖谷國士はシュルレアリスムとは、フェーリックな世界の表出であると書いている。

シュルレアリスムとは、いわゆるメルヘンチックでもファンタスティックでもない、現実のなかにフェーリックな感覚をめざめさせようとする考えかただからです。

（『シュルレアリスムとは何か』）

まずメルヘンチックについては、メルヘンはもともとドイツ語で「メールヒェン

(Märchen)」で、「お話」という意味であったが、一八世紀以後になって童話となった。メルヘンはお伽話(とぎばなし)ということで、「伽(とぎ)」は、話相手となって退屈を慰めたり機嫌をとったりすることを意味している。神話と同じように作者が存在せず、自我もあらわれない。お伽話の世界には、人間が森のなかで狩猟や採取をしていた時代の感覚がのこされている。人間が失ったある種の感覚や知恵が、お伽話のなかに刻印されているのである。メルヘンチックは童話的というより、文明とは隔たった始原的ということになる。

次にファンタスティックについては、日本語では幻想的であり、楽しい雰囲気もふくまれているが、本来の意味は、自然の法則しかしらない者が超自然的な出来事に出逢って感じるためらいのことである。科学では説明がつかない現象のことでもある。

最後に日本語にはなっていないフェーリックであるが、「フェーリック féerique」の「フェ」はフランス語 fée で、妖精である。妖精は童話的であるとはかぎらず、運命をにぎっている存在ということである。ということは、妖精的とは魔力的な幻想ということである。この妖精は日本的な愛らしい妖精というより、超能力で何をするかわかりかねる不気味な超能力者である。結局、シュルレアリスムの世界は、魔力的な不思議の国ワンダーランドであり、怪奇的な場所でもある。それは象徴主義の形而上学的あるいは霊界的という別次元空間ではなく、現実とつながっていながらも、理性では認識できない別世界である。

ダダイズムが反芸術を標榜するものであったことから、創作的な成果に欠けてしまい、運動として長つづきしなかった。それに対してシュルレアリスムは、近代社会の秩序の呪縛と物質優先の価値観からの解放を推進する芸術として発展してゆくことになる。一方、シュルレアリスムは人間の内部の探求であることからは、外部との相互作用からの世界は立ち上がってこない。そのことに気づいたブルトンは、一九三〇年に《通底器》という仮説を提言した。《通底器》とは、試験管のようなものが底の部分でつながっている器具のことであり、内部すなわち深層は、底の領域を介して外部とつながっているというアナロジーとなっている。この考え方から、内的現実の変換と外的現実の変換は結びついているとして、シュルレアリスムを政治革命の駆動力とする目論みを進めようとした。マルクス主義がいわゆる現実を批判し否定する論理をもっていたことから、シュルレアリスムは芸術的なスタンスから、マルクス主義を推進することができるということでもあった。しかしながら、シュルレアリスムは内部的革命であって、政治革命へと民衆を目覚めさすといったポテンシャルはなかった。他方、シュルレアリスムは現実の行為・事象と夢、理性と狂気、感覚と表象などの二律背反という哲学的認識をのり超える芸術の方法を築いたといえる。

シュルレアリスムの代表的な手法は、自動記述と夢の叙述の他にコラージュとデペイズマンがある。フランス語でコラージュは「貼りつける」、デペイズマンは「異なった環境におく」という意味である。コラージュはいくつかのものを組み合わせる、デペイズマンは二つのものを並べるやり方であるが、どちらにしても存在や事物をその現実の時空から切り離して、現実の場面を超現実のものへと変容させる。コラージュが偶然に依存しているのに対して、デペイズマンは知的な思惑が介入している。

物質文明の豊かさを支えている中心は企業であるといえよう。そして企業間また企業内では絶えず苛酷な競争がくりひろげられている。シュルレアリスムは製造・建設・商業・金融・サービスなどの企業活動やそこでのさまざまな交流を否定するのではなく、シュルレアリスムのワンダーランドは、それらの止揚を目ざしている。このワンダーランドは個人的な苦悩や不安の解消の手助けにもなるはずだ。近代社会の原動力でもある物理的な豊かさと社会的ステイタスへの渇望は、組織への従属、国家主義への信奉などを強制しがちである。そのような価値観や人生観の呪縛からの解放を、シュルレアリスムの言語空間に読者を引き込むことで、なし遂げているのである。

社会通念や制度・習慣・風習に縛られながら、現実認識は進行している。意識の下層あるいは外側には「シュル」の現実がある。シュルレアリスムはそれらを表出することであり、そこには安息の領域もあれば、辛苦の領域もあることを伝授している。それは、現実への過度の悲観あるいは過度の楽観を戒めているのである。ダダイズムがもっていた伝統芸術や社会のシステム化を破壊するという理念と、その表現方法を引き継いだシュルレアリスムは、詩においてはモダニズムの主流となっていった。無意識や夢の中に人間の精神の自由があるとしたシュルレアリスムは、二一世紀の詩の底流にもなお生きつづけている。

《参考文献》

巖谷國士：シュルレアリスムとは何か、メタローグ、一九九六
アンドレ・ブルトン／巖谷國士・訳：シュルレアリスム宣言・溶ける魚、岩波書店、一九九二
塚原史：シュルレアリスムを読む、白水社、一九九八
加藤彰彦：四天王寺大学紀要　第47号、四天王寺大学、二〇〇九
河出書房新社・編：文芸読本　ランボー、河出書房新社、一九七七
橋本一明：アルチュール・ランボー、小沢書店、一九七六
鈴木信太郎・監修：ランボー全集Ⅰ、人文書院、一九七六
アンリ・ペール／堀田郷弘、岡川友久・訳：象徴主義文学、白水社、一九八三
ランボー／宇佐美斉・訳：ランボー全詩集、筑摩書房、一九九六
ランボー／祖川孝・訳：ランボオの手紙、角川書店、一九五一
飯島耕一：現代詩が若かったころ、みすず書房、一九九四

五　エリオットの詩「荒地」

五―一　トマス・スターンズ・エリオットの遍歴

詩「荒地」はノーベル文学賞作品であるだけでなく、現代詩を駆動してきたモダニズム詩の金字塔とされているものの、難解な詩としても有名である。そこで詩人エリオットがこの詩を完成させるまでの経緯や社会情勢もこの詩の理解に役立つといえる。略年譜は次のようである。

一八八八年（以下、年は略す）：アメリカ合衆国ミズリー州セント・ルイスに生まれる。
一九〇六：ハーヴァード大学に入学、フランス文学、哲学、論理学などを学ぶ。
一九一〇：ソルボンヌ大学（パリ大学）に留学。
一九一一：秋に帰国。ハーヴァード大学院哲学科に進学。サンスクリット・パーリ語を学ぶ。客員教授だった柿崎正治（東京帝国大学教授）による仏教の講義を受講。
一九一四：ハーヴァード大学哲学科の助手をしていたが、バートランド・ラッセルの世話でドイツに留学する。ところが、七月に第一次世界大戦が勃発したことから、ロンドンに移住し、オックスフォードでギリシャ哲学を研究する。九月にはモダニズム詩の先駆者であるエズラ・パウンドに対面する。エリオットは二六歳、パウンドは三歳年上であった。
一九一五：バレリーナのヴィヴィアン・ヘイウッドと結婚する。
一九一六：エリオットの両親はこの結婚に反対で、父からの経済的な援助が断たれる。そこでロイド銀行に勤務しはじめる。
一九一七：前衛文芸誌『エゴイスト』の副編集長となる。
一九二一：銀行の激職に加え猛烈な読書と文筆活動がたたり、体調を崩してしまう。パウンドは仲間に呼びかけ援助金を集め、この資金でエリオットは銀行を三ヶ月休職し、ケント州のマーゲイトとスイスのレマン湖で休養する。この間に詩「荒地」を書きおろす。ロンドンへの帰路、パリに立ち寄り滞在中のパウンドを訪ねて原稿を渡し助言を求めた。パウンドは原稿を半分ほど削除するように勧めた。
一九二二：両詩人の書簡のやりとりで修正が加えられ「荒地」は完成へといたる。一〇月に創刊された『クライティリオン』誌に「荒地」は発表された。
一九二五：ロイド銀行を退職。出版社フェイバー&グワイアーの重役となる。
一九二七：イギリスに帰化。
一九四七：妻ヴィヴィアンが一九三八年から収容されていた精神病院で死去。
一九四八：ノーベル文学賞受賞。
一九五七：秘書エスメ・ヴァレリー・フレッチャーと再婚。

一九六五：ロンドンで死去、七六歳。
一九六八：「荒地」草稿がアメリカで発見される。
一九七一：未亡人ヴァレリーが草稿を編集し、注記を加えて出版する。

一九二二年に「荒地」が『クライティリオン』誌に掲載されたときには、その斬新さをどう評価してよいのか混沌としていた。この年の一一月の『新しい政治と国家New Statesman and Nation』誌に、「『クライティリオン』第1号には「荒地」というばらばらの詩がいくつか載っている」（福田陸太郎・森山泰夫訳）との酷評が掲載された。アンドレ・ブルトンによるシュルレアリスム宣言が発表されたのが、一九二四年であったことからも、モダニズムの詩法が模索されている段階であり、この評価は当時の大勢であったといえる。しかし、三〇年代にはいると、F・R・リーヴィス、F・O・マシセン、クリアンス・ブルックスほか多くの文学者、評論家によって、この詩の統一性が解明されるにいたった。

トマス・スターンズ・エリオット

ジェイムズ・ジョイスの小説『ユリシーズ』は、新聞「フリーマン」のブルームという名の広告とりを中心に、アイルランドの首都ダブリンに居住あるいは滞在する人びとの、一九〇四年六月一六日という一日の言動をドラマにした小説であるが、ホメロスの『オデュッセイア』と重なる仕組みとなっている。詩「荒地」はこのような古典と現代を重ね合わせる構成を真似ている。そして『ユリシーズ』が二四時間の意識の流れを綴った長編小説であるのに対して、「荒地」は五章四三三行からなる長編詩であり、現代社会の繁栄とは裏腹の頽廃とそこでの人間の生きがいの実態を暴露している。各章は直接的なつながりのない独立したストーリーとなっているだけでなく、章のなかにおいてもいくつかの違ったストーリーがくりひろげられている。この詩にはエリオットの自註が付いている。自註で指摘してあるように、各場面や会話は、聖杯物語、『金枝篇』、聖書、仏教経典、ヒンドゥー教聖典、『神曲』、シェイクスピアの戯曲などが引喩あるいは引用されている。この重層構造が変哲のないような日常の事柄や行為に、新しいイメージや意味をもたらしている。

自註によると、着想については、ジェシー・L・ウェストン女史の聖杯伝説に関する評論『祭祀（さいし）からロマンスへ』から得ているとしている。この評論はジェームズ・フレイザーの『金枝篇』を参照したとしているが、『金枝篇』は未開社会の神話・呪術・信仰を研究したものである。聖杯伝説はケルトが発祥とされ、それに騎士物語やキリスト教が結びつくことでドラマ性を強め、聖杯物語となった。聖杯はケルトの伝説では深皿、釜、鍋であったが、あとから最後の晩餐でキリストが用い、磔刑のときキリストの血を受けた皿と信じられた。ところが『祭祀からロマンスへ』では、聖杯の起源は古代の祭祀にあったとしている。キリスト教以前の古代オリエントの宗教における植物神崇拝の祭祀が、騎士ロマンスにとり入れられ、さらにキリスト教の信仰と習合したものであるということだ。

聖杯伝説を題材に、さまざまな聖杯物語が創作された。最初に書いたのは一二世紀の終わりのクレチアン・ド・トロワであった。彼はフランス人であったが、アングロサクソンによりブリテンから追い払われたケルト人がブルターニュ地方にも移住していたことから、この地にケルトの伝承が多く残されていて、それらを参照したとされている。完結する前にクレチアンは亡くなり、その後いろいろなヴァージョンが作られるが、集大成的なものが、一五世紀に書かれたトーマス・マロリーの『アーサー王の死』のなかにある聖杯物語である。聖杯物語には基本的なパターンがある。聖杯は聖杯城にあり、城主の漁夫王は、やみくもに飛んできた槍での傷により不治の病におちいっている。そのことから国土は荒廃していた。漁夫王はペレス王の俗名であるが、この名は釣りが好きであったからという説があるが、ウェストン女史は魚が太古の生命シンボルであるからと論じている。アーサー王の精鋭部隊である円卓の騎士が聖杯を探索する。トロワ版では、聖杯にたどりつけずに途中で終わる。マロリー版では、円卓の騎士、ガラハッドが聖杯城にたどり着き、聖杯をもとあった場所のサラスにもどすことで、漁夫王は完治して国土も豊穣の地にもどる。聖杯がもち出されたことによるのではなく、そのことで漁夫王が病に倒れたままとなっていることが、国土の荒廃を引き起こしていた。詩の題名「荒地」は、聖杯城の国土荒廃からの発想である。詩「荒地」が書かれたのは一九二一年頃であったが、当時のヨーロッパにおける第一次世界大戦後の荒廃・頽廃と、さらにロシア革命後の混乱が直接かかわっている。このような情況下での詩作であったことからも、社会のあり方そこでの生き方にたいする実態暴露と再生への啓示をもたらす内容となっている。

詩「荒地」は、「Ⅰ死者の埋葬」「Ⅱチェス遊び」「Ⅲ火の説教」「Ⅳ水死」「Ⅴ雷の言ったこと」の五章から成り立っている。Ⅰは、春の心地よさの否定からはじまる。中ほどで登場する占い師の予言は、この先の頽廃と焦燥、受難の展開を暗示している。菜園に植えた死体から芽が出るという会話は、死は再生でもあるという提言となっている。Ⅱでは、チェスをしている婦人の場面から、場末のパブでの、庶民階層の女性の雑話に移行する。そこでは崇高なものへのアプローチのない精神性不毛の生活が進行している。Ⅲは、ロンドンのオフィスマンとオフィスレディの日常のスケッチである。都市は労働の場であるとともに歓楽の場である。享楽のなかに、それぞれのささやかなドラマがある。語り手は予言者テイレシアスである、と明かすが、章の終わりのところで思想家アウグスティヌスへと変容する。Ⅳは、フェニキア人のフレバスの水死の状況を語る。Ⅴでは、主人公の詩人は岩場をさ迷い、やがてインダス川までやって来る。そこで雷鳴からの啓示をうける。夢幻から覚めると、詩人はテムズ河のほとりにもどっていた。救済への祈りとともに終わる。

詩「荒地」はモダニズム詩の難解さを代表しているが、そこにこの詩の妙趣や斬新な仕組みがある。難解な内容とその仕組みなどを調査探究することで、深淵な詩的境地と現代への啓示がどのようにもたらされているかを解き明かしてゆくことにする。

五―二　詩「荒地」

この詩の翻訳については訳者ごとの違いが大きく、西脇順三郎の訳が最も古く、福田陸太郎、岩崎宗治と年代は新しくなってゆく。西脇は日本語を活かした西脇独自の抒情がこめられていて、福田、岩崎と新しくなるにつれて、エリオットの意図をより強く汲んだものになっているといえる。どの訳者も日本語として不自然でない訳が、推し進められていた。私が原文を読んだところ、フィクションであるにもかかわらず、感情をこめずに事実として淡々と語っているなかに、頽廃のなかにもアクティブな人の営みが見えてきた。原文からは、平凡なあるいは頽廃的な生の営みにたいして、一方的に批判する、あるいは揶揄するのではなく、そこに生きている力強さも感じられた。英文では結論や結果が先行して、原因や条件、付帯事項は後になる。また動詞を省略して前置詞だけで暗示的に示すこともある。このような文体の方が、客観的に語っているといった迫力やリアリティがあり、原文の方が、厳しい臨場感を突きつけているといえる。

直訳すると日本語として違和感のある文章になりがちで、そっけない表現におちいる懸念があったが、原文の文体や語調をできるだけ再現するために、私はあえて直訳的に訳すことを推し進めた。次のエピグラフはイタリア語であるため、国原吉之助訳によっている。

荒地　THE WASTE LAND

じっさいわしはこの眼でシビュラが瓶の中にぶらさがってるのを、クーマエで見たよ。子供がギリシャ語で彼女に「シビュラよ、何が欲しい」と訊くと、彼女はいつも「死にたいの」と答えていたものさ。

「わたしにまさる言葉の匠」

（イタリア語、国原吉之助訳）

エズラ・パウンドに

このエピグラフは、ローマ皇帝ネロの側近でもあったというペトロニウスの小説『サテュリコン』からの引用である。アポロンの神託を告げる巫女シビュラは、若い頃アポロンに愛され、手に掴める砂粒の数まで生きることができるようにしてもらえたが、若さを求めるのを忘れたので、老いてゆくうちに蝉のように小さくなった。そこで人間は、どう生きるべきなのかを、これからはじまる詩で解き明かしてゆくということだ。「わたしにまさる言葉の匠」は、ダンテ『神曲　煉獄篇』からの引用で、先輩詩人アルナウト・ダニエルへのダンテの讃辞である。

ここからはじまる本文には、各章の一行目からブランク行は数えず、五行ごとに行番号を付けてある。この行番号で読解してゆく。

Ⅰ　死者の埋葬

四月はひどくむごい月だ。死んだ土から　一
ライラックの花を育て上げ、
記憶に欲望をまぜ合わせ、
春の雨で鈍感な根をふるい立たせる。
冬は我われを温かくしてくれる、地面を　五
忘却の雪でおおい、ひからびた球根で
小さい命を養ってくれる。
夏がぼくたちを驚かした、シュタルンベルク湖を
わたってきた夕立によって。
ぼくたちは柱廊で雨宿りをした、　一〇
それから日差しのなかをホーフガルテンへ。
そしてコーヒーを飲み、一時間話しこんだ。
ワタシハロシア人デハアリマセン　リトアニア出身ノ生粋（きっすい）ノドイツ人ナノ（ドイツ語）
子供のころ、大公の家に滞在したとき、
従兄（いとこ）なのよ、その彼はわたしを外につれ出し橇に乗せたの、　一五
怖かった。マリー、マリー、しっかりつかまって、

と彼は言った。それから滑って降りたの。
あの山の中にいると解放された気分になれます。
夜はたいてい本を読み、冬になると南に行きます。

つかみかかるこの根は何だ。この石屑のなかから　二〇
どんな枝が伸びてくるのか？　人の子よ、
きみは言えないし、推測もできない。というのは、きみに分かるのは
壊れた偶像の山。そこでは日が打つように射し、
そして枯木は身を守る場所をもたらさない、蟋蟀(こおろぎ)は慰めにならない。
そして石は乾き、水の音はしない。ただ　二五
この赤い石の下には陰があるだけだ。
（来たまえこの赤い石の陰に）
ではきみに見せよう、それは朝、きみのあとから
大股で歩いて来るきみの影とも、また夕方、きみの前に
立ちはだかるきみの影とも違ったもの。
一握りの土のなかにある恐怖を見せてあげよう。　三〇
　　生キ生キト風ハ吹ク
　故郷ヘト

　　ワガ島ノ少女
　　アナタハ何処ニイルノデアロウ？　（ドイツ語）　　三五
「あなたが一年前にヒヤシンスをはじめてくださった。
みんなからヒヤシンス娘って呼ばれたわ」
――でも、ぼくたちがヒヤシンス園から晩（おそ）く帰ったとき、
きみは腕でヒヤシンスをいっぱいに抱え、髪まで濡らしていたので、
ものを言えず、目はきかず、ぼくは　　四〇
生きているのでも、死んでいるのでもなく、何も分からなかった。
光の中心を見つめた、そこは静寂。
海ハ荒レテイテ空虚。（ドイツ語）

マダム・ソソストリス、有名な占い師だが、
ひどい風邪をひいていた。それでもやはり、　　四五
ヨーロッパきっての賢い女で通っていて、
邪悪なトランプ占いをする。ほら、と彼女は言った、
これがあなたのカード、水死したフェニキアの船乗りよ。
（これが彼の目であった真珠、見てごらん！）
これはベラドンナ、岩窟の女、　　五〇

さまざまな場面にいる女。
これは三叉（みつまた）の鉾（ほこ）をもつ男、そしてこれは車輪。
こちらは片目の商人、そしてこのカードは
白紙、それは彼が背負って運んでいるもので、
わたしには見ることが許されていない。わたしには　五五
首を吊られた男は見つからない。水死に気をつけなさい。
わたしには見える、人の群れが輪になって歩いているのが。
ありがとう。エクィトーン夫人にお会いになったら、
天宮図はわたしが自分でもって行きます、と伝えてください。
この頃は、用心しなくてはなりません。　六〇

非現実の都市
冬の夜明けの褐色の霧のなかを、
ロンドン橋を群衆が流れていった。たくさんの人、
死にやられてしまった人がこんなにもたくさんいたとは、と思えてくる。
短くそして思いだしたような溜息をもらしながら、　六五
それぞれが自分の足もとを見つめていた。
坂を上り、キング・ウィリアム街へと下って、

セント・メアリー・ウルノス教会の時の鐘が鳴り、
九時の最後の一打が死を響かせている方へ人びとは流れて行った。
そこで知人を見かけた、そして彼を呼び止めた、大声で。
「ステットソン！」　　　　　　　　　　　　　　　七〇
「ミュラエの戦いの艦船で一緒だったね。」
「去年、きみが庭に植えたあの死体、
芽が出た？　今年、花が咲きそう？」
「それとも、不意の霜で苗床がやられた？」　　　　　七五
「あ、犬を寄せつけるなよ、あいつは人間の仲間だ。」
「あ、前足の爪で掘り出してしまうぞ。」
「おいきみ、偽善者の読者よ！　わが同類、わが兄弟よ！」
（「偽善者の」以下はフランス語）

まず「四月はひどくむごい月だ」と、生れてくることへの懐疑からはじまり、悦楽の春より試練の冬が望ましい、とつづける。八の「ぼくたち」は、語り手の主人公と一三に登場する「ドイツ人」であろう。「リトアニア出身ノ生粋ノドイツ人」は、帝国主義への警鐘である。一四からは、この「ドイツ人」か、あるいは別の若い女性が、リゾートでの楽しいひと時を語る。人生の楽しみとは、こういったたわいもないことであり、肯定も否定

もしていない。

二〇の「つかみかかるこの根」は、苦難つづきの人の営みへのアレゴリー（寓意）である。次の行の「人の子よ」は、旧約聖書からの引用で、予言者エゼキエルへの神の呼びかけである。ここでの語り手は、神になり代わっている。二三の「壊れた偶像」とは、戦争や反乱などの破壊の歴史の表象である。二九の「きみの影」とはきみの実態でもあり、そのように生きる目的についても、あやふやであるというアレゴリーでもある。三一の「恐怖」は死のことであり、死により生を認識させている。三二の「生キ生キト」以下の詩は、ワグナーの楽劇『トリスタンとイゾルデ』（一八六五年初演）からの引用。さらに場面は変わり、三六から「ヒヤシンス」にまつわるストーリーとなる。ヒヤシンスは強い匂いがあり、性欲的な愛を表象している。花名はギリシャ神話の美青年ヒュアキントスに由来する。四一の「生きているのでも」の詩句は、生きがいが見出せないということである。四三の「海ハ荒レテイテ空虚」も『トリスタンとイゾルデ』からの引用で、海に再生の気配はないことをいっている。

次の連で占い師「マダム・ソソストリス」が登場する。前の連の四〇で、「ものを言えず、目はきかず」となった人物が訪ねたという見方もできるが、彼は主人公の詩人より年齢は若そうで、訪ねたのは主人公の詩人であるとすることで、ストーリーの転遷を鮮明にすべきといえる。彼女はこの詩の先の展開を予想している。四八の「フェニキアの船乗り」は、「Ⅳ水死」の章に出てくる「フェニキア人フレバス」のことを予言している。四九の「これが彼の目であった真珠」は、自註にシェイクスピアの『あらし』からの引用とある。死者の目が真珠に変わることとは、再生を暗示しているという。水死は再生の可能性をふくんでいるのだ。五〇の「ベラドンナ」は、「Ⅲ火の説教」の章の「妖精たち」や「ポーター夫人」などを暗示している。五六の「首を吊られた男」からは、キリストが彷彿してくる。

連が変わるとともに、語り手の詩人はロンドンを歩いていた。六一の「非現実の都市」とは、ここではロンドンであるが、詩人にとっては奈落でもあるのだ。次の行の「霧のなかを」という情景からは、自註にあるようにボードレールの詩「七人の老人」のパリと結びつくが、そこで詩人が遭遇した醜悪な七人の老人は、パリの街の裏側のアナロジー（類似）であり、最終連にいたり詩人自身がその亡霊に変容してしまうのではないかと驚愕する。六四の「死にやられてしまった人」とは、自註によると『神曲　地獄篇』でダンテが地獄の門をすぎてから見た、死神に滅ぼされた亡者の長い行列とのアナロジーとしている。しかしながら、ロンドン橋を渡ると世界的な金融の中心地であるシティーである。そこへと向かっている人びとは、経済の発展をになっている人びとである。この詩句はイロニーとも、詩人の心象風景ともいえる。何かに疲れている人びとであったとしても、再生へのエネルギーをもっているはずである。六九の「九時」は始業のベルであるが、キリストが十字架上で息絶えたのが「第九時」（現在の午後三時）であった。ここで詩人は戦友と再会する。七二の「ミュラエの戦い」については、ミュラエはシチリア島北岸の町であり、ポエニ戦争のときこの町の沖合でローマとカルタゴが戦った。人間の歴史は、戦争の歴史でもある。次の行で、再会した彼が菜園に植えたあの「死体」から芽が出たかどうか尋ねる。「球根」を「死体」と呼んでいる。エジプトの植物神オシリスの再生儀礼では、穀物の種を包みこんだ土の人形が地中に埋められ、そこから芽を吹かせる。「死体」から芽が出ることは、この儀礼を連想させるはたらきがある。七六では埋葬した「死体」を犬が掘り起こしやしないか懸念する。犬は偽善的なヒューマニズムを意味している。この連は現代の豊穣神話のはじまりと、語り手でもある詩人の聖杯探索のはじまりを暗示している。最終行の「偽善者の読者よ！」以下は、ボードレールの『悪の華』の序詩「読者へ」の最終行からもってきた詩句である。

ストーリーはいろいろといれ代わっていた。そして現代の何げない生活、それは古代から同じようにくり返されてきたことであるが、そこには死の領域があり、そこからの再生も日々起こっているということだ。

Ⅱ　チェス遊び

一

あの女が座る椅子、磨かれた王座のように、
大理石の上で耀き、かたわらの大型の鏡の脚には、
実のついた葡萄の飾り、
蔓の間から黄金のキューピッドがのぞいていた。

（もう一体は片方の翼で目をおおっている）
七つに枝分かれした大燭台の炎はそれに反射して倍ほどになり、
テーブルに反射した光に応えるように宝石はきらきら輝き、
宝石の光が繻子(しゅす)の小箱からあふれ出る。
栓の抜かれた象牙の壺や色とりどりのガラス瓶に、
ひそんでいるなじみのない合成香料が——
練り油、脂粉、香水——匂いで感覚を
戸惑わせ、乱し、そして溺死させた。窓からの
新鮮な空気に煽(あお)られて、これらは立ちのぼり、
長く伸びて、蝋燭(ろうそく)の炎を太くし、
煙を格天井(ごうてんじょう)に投げあげると、
天井の模様がゆすられた。
銅の地に生えた海藻の森が、
色とりどりの石に囲まれて緑と橙に燃え、
その悲しい光のなかを彫刻のイルカが泳いでいた。
古風な暖炉の上の方に、
樹木からなる光景を見とおす窓であるかのように、
変身したフィロメラの絵がかかっていた。野蛮な王に

犯されて、夜鳴鶯(ナイチンゲール)に変身したのだ。だが、夜鳴鶯(ナイチンゲール)は神聖な声を荒野のすみずみまで響かせた。しかしなお、彼女は鳴きつづけた。
そして世の人びとは追いつづけている、　　　　　　　　　　　　　　　　　　　　　　一〇五
「ジャグ　ジャグ」との声を下劣な耳に。
ほかにも時間が涸れている切り株について
壁面上で語られていた。そこにあるじろじろ見ている幾つかの姿は、
身をのり出し、のり出し、部屋を沈黙でとり囲んでいた。
階段を足を引きずりのぼってくる音。　　　　　　　　　　　　　　　　　　　　　　　一一〇
暖炉の火に照らされた、ブラシの下の彼女の髪は、
ひろがるとともに先に火がともり、
白熱して言葉に変幻し、それから荒々しく静寂へとすすむ。

「今夜は神経質になっているの。気分が悪い。一緒にいてよ。」
「何か言ってよ。どうして何も言わないの。言ってよ。」　　　　　　　　　　　　　　　一一五
「何を考えているの？　何を考えて？　何を？」
「何を考えているか、分からないじゃない。よく考えてよ。」
我われは鼠(ねずみ)の路地にいるのだ、とぼくは考える、
そこは死人たちが自分の骨を見失うところ。

「あの音は何？」　　　　　　　　　　　　　　　　四〇
　　　　ドアの下からの風だよ。
「いまの何の音？　風は何をしているの？」
　　　　何もしていないさ、何にも。
　　　　　　　　　　　　　　「ほんとうに
「分からないの、何も？　何も見えないの？　覚えていないの、　四五
「何にも？」

　　　ぼくは覚えている、
あの真珠は、ありし日の彼の目だった。
「あなたは生きてるの、死んじゃってるの？　あなたの頭はからっぽなの？」
　　　　　　　　　　　　　　　　　　　　　　だが　五〇
おお、おお、おお、おお、あのシェイクスピヒアリアン・ラグ――
なんて優雅な
なんて知的な
「わたしはどうしたらいいの？　どうしたら？」
「このまま飛び出し、街を歩くの、　　　　　　　　五五

「髪を垂らしたまま。明日のわたしたち、どうしましょう？」
「一体どうしたらいいの？」

　　　　　　　　　　十時に入浴
そしてもし雨なら、四時にセダンの車。
それからチェスをやりましょう、
まんじりともしないで、ドアのノックを待ちながら。　六〇

リルの亭主が除隊になるってときに、あたしは言ってやったの――
はっきり言うけど、と言ったの、
いそいでくださーい、時間でーす
ところでアルバートが帰ってくるんだから、もう少しきれいにしたらどう。　六五
彼は知りたがるよ、虫歯の治療代にって、置いていったお金は、
どうしたって。あたしはそこにいたんだから。
すっかり抜いちゃってきれいな入歯にしろよ、リル、
そんな顔見てられないよって、彼は確かに言ったじゃない。
あたしもそう思う。アルバートのことも考えてあげなくちゃ、　七〇
四年も軍隊にいたのよ、彼としてはこんどは楽しくすごしたいわよ。
よくしてあげないといい女が出てくるわよって、言ってやった。

あら、そう、って彼女が言うと、まあ、ねえ、とあたしは言った。
誰だか知らないけれど、その人に礼を言いたい、と彼女は言って、あたしをきっと睨んだ。
いそいでくださーい、時間でーす 七五
それがいいなら、そのままでいたら、とあたしは言ってやった。
あんたがだめなら、ほかの人が手をだすわよ。
アルバートに逃げられても、忠告はしたんだからね。
恥ずかしくないの、そんな婆さんのような見ためで、とあたしは言ってやった。
(年はまだ三一なのに) 八〇
しょうがないよ、とリルは浮かぬ顔をしながら言った。
おろそうとして飲んだピルのせいよ、と彼女は言った。
(彼女はすでに五人の子供がいて、末っ子のジョージのときは死にかけた。)
薬剤師は大丈夫だと言っていたけれど、あれからずっと体が変なの。
あんたはほんとうに馬鹿よ、とあたしは言ってやった。 八五
そうね、アルバートは一人で寝ないのなら、しかたないじゃない、と言った、
子供が欲しくないのに、何で結婚なんかするのよ?
いそいでくださーい、時間でーす
それでね、アルバートが帰ってきた日曜日、あつあつのベーコンを食べたの、
あたしも夕食によばれて、焼きたてでおいしいところをいただいたっけ―― 九〇

いそいでくださーい、時間でーす
いそいでくださーい、時間でーす
おやすみ、ビル。おやすみ、ルウ。おやすみ、メイ。おやすみ。
バイバイ。おやすみ。おやすみ。
おやすみ、みなさん、おやすみ、ご婦人がた、おやすみ、おやすみ。

九五

「チェス遊び」は、自註にあるようにトマス・ミドルトンの戯曲『女よ、女に心せよ』(一六二一年初演)からもってきた語句である。〝game〟は、もともと「遊び」、「性愛の行為」、「狩猟の獲物」、「性愛の対象としての女」などを意味するが、ここでの「チェス遊び」は、「性愛」のアナロジーとなっている。チェス遊びが退廃的な行為としてつづられている。

冒頭の「磨かれた王座」については、シェイクスピアの『アントニーとクレオパトラ』を参照していると自註にあることから、クレオパトラの王座の豪華さがあるということだが、悪趣味なゴタゴタとして装飾の描写で示されてはじまる。四の「キューピッド」は性愛を表象している。二一の「樹木からなる光景」には、自註にミルトン『失楽園』とあるので、エデンの園の森ということになる。二二の「フィロメラの絵」については、自註にオウィディウス『変身物語』とある。どういう物語であるかというと。トラキア王テレウスに凌辱されたフィロメラは舌を切られたが、そのことを姉でテレウスの妻であったプロクネに、タペストリー(絵画的な模様の織物)を織って何が起こったかを知らせた。プロクネはテレウスとの子を殺し、テレウスに食べさせて復讐した。テレウスの追手から、フィロメラはナイチンゲールに、プロクネは燕に変身して森に逃れた。そして二五の「世の人びとは追いつづけている」とは、いつの世も人びとは情欲にかられて、フィロメラのような美女を追いまわすような行為をしているというアレゴリーである。この連の最後では、三一で「彼女の髪」の「先に火がともり」、それが三三で「言葉に変幻」する。これと同じような怪奇は、『神曲　地獄篇』にもある。その言葉は次の連の会話へと引き継がれる。

三四の「神経質になっているの」から最終行まで、会話で進行する。女の発言にたいして、それを無視した男の発言には引用符がない。男が言った三八の「鼠の路地」は、第一次世界大戦において塹壕を「鼠の路地」といったことをなぞっている。そこでは鼠と南京虫がはびこり、戦死者の骨は回収されなかったとのことだ。四一の「ドアの下からの風」は、自註にジョン・ウェブスターの悲喜劇『悪魔の訴訟』からの引用とあるが、それは不気味さ、不安、死を暗示している。四八の「あの真珠は、ありし日の彼の目」は、「I死者の埋葬」の四九にもあるように、再生の暗示であるが、ここでは、「鼠の路地」にいる女にたいするイロニーとなっている。五一の「おお、おお、おお」は、シェイクスピア悲劇の登場人物の悲嘆の嘆き声と同じである。

次の連は「リルの亭主が」ではじまるが、ここからは、労働者階級の女たちのパブでの会話である。六四の「**いそいでくださーい、時間でーす**」は、以下において会話をたち切るようにときおり割りこんでくる。パブの店員のラスト・オーダーを催促する声で、原文は“HURRY UP PLEAS ITS TIME”である。突然割りこんでくることから、終末論が彷彿してくる響きがある。八六の「アルバートは一人で寝ないのなら、しかたないじゃない」からは、生殖をともなわない性交が普通になっていることを示唆している。最終行の「おやすみ、みなさん」は、『ハムレット』における水死するまえの狂気のオフェリアが言った「おやすみ」と重なっていて、そしてオフェリアの水死は、「Ⅳ水死」の章へとつながってゆく。またオフェリアの狂気は、この詩の結末のヒエロニモの狂気の予兆でもある。

事件や事件性、また葛藤などもなく、とりとめのないストーリーがくりひろげられている。パブでの女たちの雑談は、エリオットのハウス・メイドの世間話をほとんどそのままとりいれたものだという。内容のない生き方ともいえるが、それぞれの人には内容があるのであろう。

Ⅲ　火の説教

河辺のテントは破れ、最後の木葉の指先が、　　一
濡れた土手につかみかかり沈んでいく。風は
音もなく、枯葉色の地面を横ぎる。妖精たちは、もういない。
美しいテムズよ、静かに流れよ、わが歌の尽きるまで。
河は流すことはなく沈めてしまったのだ、空きビン、サンドウィッチの包み紙、　　五

絹のハンカチ、ボール箱、タバコの吸い殻、
夏の夜をしのばせるほかのものも。妖精たちはもういない。
彼女らの遊び友だちの、市の重役連ののらくら息子らも
いなくなった、宛名を残さずに。
ぼくはレマン湖の岸辺に座り、泣いた……
美しいテムズよ、静かに流れよ、わが歌の尽きるまで。　一〇
美しいテムズよ、静かに流れよ、声（こわ）だかにも長くも話さないから。
しかし背後の冷たい風のなかに聞えてくるのだ。
骨のぶつかり合う音と、耳から耳へ伝わる大きく口を開いたふくみ笑い。
鼠一匹が草むらをゆっくり這っていた、　一五
土手の上を泥だらけの腹を引きずりながら。
冬の夕暮れどき、ガスタンクの裏側に回って、
運河でぼくが釣りをしていたときのこと、
ぼくの難破した兄の王と
彼に先立って他界した父の王へと思いを巡らしていた。　二〇
低い湿地には裸の白いいくつかの死体、
そして低く乾いた狭い屋根裏部屋にうち棄てられたいくつかの骨は
鼠の足でカタカタとただ鳴らされるだけだ、今年も来年も。

だがぼくの背後からときどき聞こえる
警笛とエンジンの響き、それらとともに
スウィーニーは泉でからだを洗うポーター夫人を訪れる。　二五
おお、月に照らされたポーター夫人
と、彼女の娘
二人はソーダー水で足を洗う
ソシテ聖堂デ歌ウ少年タチノ歌声！　（フランス語）　三〇

チュッ　チュッ　チュッ
ジャグ　ジャグ　ジャグ　ジャグ　ジャグ　ジャグ
あんなにも乱暴されて犯されて。
テリュー

非現実の都市
冬の真昼、褐色の霧の下で、
スミルナの商人、ユーゲニデス氏は、　三五
無精鬚を生やし、ポケットには干しブドウをつめこみ、
「ロンドン渡し運賃保険料込み」　一括払いの手形をもっていたが、

俗っぽいフランス語でぼくを誘ってきた。
キャノン・ストリート・ホテルで昼食をとり、
メトロポールで週末をすごそうと。　　四〇

すみれ色の時刻、目と背中が
頭を上げ事務机からはなれるころ、人間というエンジンが待機しているころ
タクシーが動悸を打ちながら待つように、
このわたしテイレシアスは、盲目だが、男女両性のあいだで鼓動する老人、
しなびた乳房をもつが、見えているのだ、　　四五
すみれ色の時刻、家路をいそぐ
夕暮どき、船乗りが海から帰るのも、
タイピストが午後のお茶の時刻に帰宅して、朝の食卓を片づけて、
ストーブに火をいれ、缶詰の食品をひろげるのも。
窓の外に危なげにひろがっている　　五〇
彼女のまだ干しかけのコンビネーション下着に、夕日の最後の光が触れている。
長い椅子（夜はベッド）に山積みにされた
ストッキング、スリッパ、キャミソール、そしてコルセット。
このわたしテイレシアスはしなびた乳房の老人だが、　　五五

そうした情景は見えていた、そしてこの後のことも予言しておいた――
わたしもまた、ここに来る客を待っていた。
例の男、にきび面（づら）の若者が到着する。
小規模な不動産屋の勤め人だが、じろりと睨んだ。　六〇
生れは下層階級だが、自信たっぷりな風貌は、
ブラッドフォードの富豪のシルクハットのようだ。
そろそろ頃あい、と彼は推察、彼女は
食事を終えて、退屈し疲れぎみだ。
愛撫にもちこもうとくわだてると、　六五
望んではいないにしても、拒否はしない。
顔を赤らめ決断して、彼は攻撃にはいる。
探る手はいかなる防御にも遭わない。
彼の自惚れは相手の反応など望んでいない。
無視されることは歓迎だった。　七〇
（そしてこのわたしテイレシアスは、ここの長椅子いやベッドで
演じられるすべてをとっくに経験していたのだ。
テーバイの城壁の下に座していたわたしは、
身分卑しき死者たちのあいだを歩いたこともあるのだ。）

旦那気どりの別れのキスをして、　七五
そして手探りで進路を捜し、階段を見つけて降りてゆく……

彼女はふり向いて、ちらっと鏡をのぞく、
去った相手のことは、もう頭にない。
彼女の頭脳は、なかば崩れた思考が通るくらい。　八〇
「やっとすんだ、終わってほっとしたわ」
可愛(かわい)い女が誘惑に負け、再び
ひとりで部屋のなかを歩きまわるとき、
自動化された手つきで髪を撫で、
そしてプレーヤーにレコードをのせる。

「この音楽は波間を這ってぼくのかたわらをすぎていった」　八五
そしてストランドを抜け、クイーン・ヴィクトリア街へと。
おお、シティー、シティー、ぼくの耳にときどき聞こえる、
下側のテムズ街のパブのわきにいると、
快いマンドリンのすすり泣きと
家の中で食器がぶつかる音、談笑の声。　九〇

そこには昼どきで漁師たちがたむろしている。
マグナス・マーター教会の壁は、いまもとどめている、
イオニア様式の白と金色の、たとえようのない荘厳さを。

川は油とタールを
発汗する
数隻の艀(はしけ)は漂う
うねる潮とともに
赤い帆は
ひろがって
重いマスト上で揺れながら、風下へ
数隻の艀は
漂う丸太を洗う
グリニッジの川すじを下る
アイル・オヴ・ドッグスをいますぎて。
ウェイアララ　レイア
ヴァルラアラ　レイアララ

九五

一〇〇

一〇五

エリザベス女王とレスター伯
オールは水を打つ
艫の形は
金色の貝殻
赤と黄金
激しいうねり
両岸にさざ波を立て
南西の風は
川下へと運ぶ
鐘の響きを
いくつかの白い塔
　ウェイアララ　レイア
　ヴァルラアラ　レイアララ

「電車と埃まみれの木々と。
ハイベリがわたしを生み、リッチモンドとキュウが
わたしを破滅させた。リッチモンドの近くでわたしは膝をたて
狭いカヌーの床で仰向けになりました。」

二八〇　二八五　二九〇

「わたしの足はムアゲイトに、心臓は
わたしの足の下。あのことがあったあと
彼は泣いて、『やり直そう』と約束したの。
わたしはノーコメントだった。何て怒ればいいっていうの？」　　一二五

「マーゲイトの砂浜で。
わたしは何ひとつ
頭の中はまとまらないの。
汚れた手の割れた爪。
うちの人たち、あの品位に欠けた人たちは期待などしていない
何にも。」　　一三〇

ラ　ラ

それからわたしはカルタゴに来た　　一三五

燃える　燃える　燃える　燃える
おお　主よ　あなたはわたしを引き出し給う

おお　主よ　あなたは引き出し給う

燃える

「火の説教」は自註に、ヘンリー・クラーク・ウォーレンの『翻訳仏教経典』からの着想であること、が明かされている。エリオットはこの経典をハーヴァード大学在職中に読んだ。この説教を仏陀は伽耶山（がやさん）で行っているが、それに通じているストーリーとなっている。仏陀は人間の情念（色欲、怒り、憎悪など）を劫火に譬え、そこからの離脱を説いている。離脱すべき情念と火はこの章で追求しているテーマである。

最初の行の「テントは破れ」とは、旧約聖書では「幕屋」がユダヤ人の移動神殿でもあったことから、神と人との断絶を暗示している。三の「妖精たち」は若者たちと逢引きしていた若い女たちである。一〇の「レマン湖の岸辺に座り、泣いた」は、バビロンの捕囚のとき河のほとりで泣いたユダヤ人のアナロジーでもある。次の行の「美しいテムズよ」から以下の詩句は、ウスター伯の二人の娘の婚約を祝って、スペンサーが書いた詩『結婚前祝の歌』にあるリフレーンからの引用である。ルネサンス時代の牧歌的結婚愛をかかげている。一九の「ぼくの難破した兄の王と」以下は、自註にはシェイクスピアの『あらし』のファーディナンドのセリフからの引喩である、となっている。二六の「スウィーニーは」以下は、自註にジョン・デイの対話体牧歌詩『蜂の会議』からの引用とある。ポーター夫人はスウィーニーの情婦である。この連の最終行の「ソシテ聖堂デ歌ウ少年タチノ歌声！」は、ヴェルレーヌの詩「パルシファル」の最終行からもってきている。三一の「チュッチュッ」は燕の鳴声、「ジャグ　ジャグ」はナイチンゲールの鳴声である。三四の「テリュー」は、『変身物語』のトラキア王テレウスのことであるが、現代の人間も、テレウスの血を引き継いでいるということを暗示している。

次の連のはじまりの「非現実の都市」は「I死者の埋葬」の「非現実の都市」の数時間後ということになる。三七の「スミルナ」は現在のトルコのイズミールで、かつては港町として栄え、トルコ人、ユダヤ人、アルメニア人、ギリシャ人などが住んでいた。同じ行の「ユーゲニデス氏」は「干しブドウ」を商っているのであるが、「I死者の埋葬」で予言にあった「片目の商人」なのである。この連の最後の「メトロポール」はイングランド南海岸の保養地ブライトンにある豪華ホテルで、同じ行の「週末をすごそう」には情欲的なニュアンスがある。

次の連の二行目「人間というエンジン」は、人間が機械化しているとみなしている。四六に「このわたしテイレシアス」とあり、語り手はテイレシアスであることを明かしている。さらに「テイレシアス」はオウィディウスの『変身物語』の人物であり、単なる目撃者であり「登場人物」ではないとしてから、テイレシアスが見たもの
が、この詩のテーマである、と自註にあるが、主人公の詩人とは別の語り手を、神話上の神におし上げる目論見なのであろう。その自註にはテイレシアスが両性となった経緯が書いてある。彼は森

のなかで交尾している二匹の蛇を杖で強打した。すると、テイレシアスは女性に変わってしまった。その七年後に同じ蛇たちに遭遇した。この同じ蛇を殴りつけると、もとの姿にもどったという。テイレシアスは見通す者であり、オデュッセウスが冥界に下ったとき、彼に帰国の予言を与えた。場面では、タイピストとビジネスマンとの情事が生活習慣のように進行する。愛を抜きにした男女関係が淡々と進行する。七四でのテイレシアスの「身分卑しき死者たちのあいだを歩いた」という呟きからは、地獄にいたことになる。

九四の「川は油とタールを／発汗する」からは、自註によると「テムズの娘」の歌がはじまるとある。物質文明に自然が汚されていることを嘆いている。一〇五の「ウェイアララ　レイア」と次の行は、船頭のかけ声である。一〇七の「エリザベス女王とレスター伯」から、「テムズの娘」の歌の第二連となる。エリザベス女王もこれまで登場した女性と同じように、男女の関係を楽しんでいる。一一二の「激しいうねり」は二人の関係を暗示している。「レスター伯」は女王の寵臣の一人であるが、自註によると、ロンドン駐在スペイン大使のデ・クワドラが、スペイン王フィリップに宛てた手紙からは、二人の関係は結婚の一歩手前までいっていた、ということだ。一一七の「白い塔」は、ロンドン塔に付随したいくつかの白い石造りの塔である。

一二〇の「電車と埃(ほこり)まみれの木々と」からは、三人のテムズの娘が交代で語る身の上話である。男女関係のもつれから身を滅ぼした話である。第一の娘は、夫に先立たれ、再婚後の生活に難渋した。第二の娘は、一二四の「ムアゲイト」で処女を失う。「ムアゲイト」はキング・ウィリアム街の北方にあるスラム街である。第三の娘の語りのはじまり、一二八の「マーゲイト」は、テムズ河口の海水浴場もある漁港である。一三〇の「頭の中はまとまらない」とは、生活にクリエイティブなものが見出せないのである。一三二の「うちの人たち」については、自分の家族も無目的な生き方をしているというのだ。

一三五の「カルタゴに来た」、さらに一三七の「おお　主よ」はともに、アウグスティヌスの『告白』からの引用であると自註にある。このカルタゴは頽廃の街であった。頽廃にひたるロンドンは、カルタゴに重ね合わされる。一三六の「燃える」と「おお　主よ」は、仏教とキリスト教の禁欲主義の啓示であり、そしてすべてが焼き尽される。乾燥や火は、荒廃を引き起こす自然のパワーであるが、すべてを焼き尽くすことによって、それらを再生させるというイメージにもつながっている。

Ⅳ　水死

フェニキア人フレバスは、死んで二週間、　　一
鷗の鳴き声も忘れさられた。深海のうねりも、
そして損得も。
　　海底の潮の流れが
ささやきながら彼の骨をひろった。彼は浮き沈みしつつ　　五

人生の晩年と青春の段階を通り抜け
渦にまき込まれていった。
　　　　　　　　　　異邦人であれユダヤ人であれ
思いたまえ、きみのように背が高く美青年だった
フレバスのことを。

一〇

おお、舵輪（ウィール）をまわし風上を見やるきみは、

　テムズ河から場面は、地中海へと移る。最初の行に「フェニキア人フレバス」とあるが、ホメロスの『オデュッセイア』に水死したフェニキア人が出てくる。また、古代アレクサンドリアでは毎年春、植物神アドニスの頭部をかたどった人形が海に投じられ、七日後にフェニキアのビブロスで拾われ再生の神の像として祀られた。神話の世界が彷彿してくる。二の「鷗の鳴き声も忘れさられた」の詩句は、死イコール無ということである。五で「彼の骨をひろった」とあるが、アドニスのことに加えて、ナイル河でオシリスの骨を拾い集めたイシスのことが連想されてきて、再生への望みが立ち上がる。六の「人生の晩年と青春の段階を」は、「フレバス」が晩年と青春を再度経験させられた苦難をいっているが、これは仏教の輪廻に結びつく。八の「異邦人であれユダヤ人であれ」は、どの宗教にも関係なく呼びかけている。一〇の「思いたまえ」は、「フレバス」の轍（てつ）は踏むなという説教である。

荒廃とそこからの復興の可能性ということについては、アドニスやオシリスなどの神話をアナロジーとして連想するように語っている。その神話の主なテーマは死と再生ということだ。オシリスは弟のセトに殺され、バラバラに切り刻まれてナイル河に放り込まれたが、妻のイシスがそれらを拾い集めてつなぎ合わせると、再生して冥界の王者となった。それをアレゴリーとして、一度死んだヨーロッパの復活の可能性が、この詩のテーマのひとつであることをほのめかしている。

聖杯物語に出てくる漁夫王も、エジプトの神話に出てくるオシリスも、どちらも海と水のイメージと結びついている。ということは、海と水とがサブテーマとなっている。それが基調低音となり詩全体に響きわたっている。水のイメージは、その正反対たる乾燥や火のイメージを呼び起こす。このように、この詩は、さまざまなテーマが重なり合うことで、新しいイメージや意味が立ち上がってくる仕組みももち合わせている。

エズラ・パウンド

この章が不自然に短いのは、パウンドが大部分を削除させたためである。それは『神曲地獄篇』の第二六歌のユリシーズの海難を扱った箇所であった。ここまでは全体的に日常的な話題をくりひろげてきたので、ここで伝説について長々と語るべきではなかったのである。

V　雷の言ったこと

汗ばむ顔を赤く照らす松明のあと　一
園や庭の霜の静けさのあと
岩礫の地の苦悶のあと
あの叫びとあの泣く声が
牢獄と宮殿そして遠い山々を
越えてくる春雷の反響が　五
生きていたあの男はいまはなく
生きている我われは死にひんしている
わずかな忍耐に支えられ

ここには水はなく岩だらけだ　一〇
岩と渇水と砂の道
道は山々の間を曲がりくねりつつのぼる
そこは水のない岩山だ
もし水があれば我われは立ち止まり水をのむであろう
岩場では誰も立ち止まることも考えることもできない　一五

汗は乾きそして足は砂にのめり込む
水を吐かない腐った歯をもった死の山の入口
ここでは誰も立つのも横になるのも座るのもできない
山々には静寂さえない
だが雨をともなわない不毛な雷鳴が　　二〇
山々には孤独さえない
しかし赤い不機嫌な顔が冷笑し歯をむき出してぶつぶつ言う
ひび割れた泥壁の家々の戸口から

もし水があって

そして岩がなかったら　　二五
もし岩があって
そして水もあったら
それから水が
泉が
岩間の水溜りが　　三〇
水の音だけでもあったら
蝉の声や
枯草がたてる音でなく

しかし岩の上には水の音が
松林の隠者鶫（つぐみ）の鳴くあたりで
　したたり落ちる　ポタ　したたり落ちる　ポタ　ポタ　ポタ　ポタ
　だが水はない　　　　　　　　　　　　　　　　　　　　　　　　　　三五

いつもきみのそばを歩いている三人目は誰だ？
ぼくが数えたときは、きみとぼくだけだった
だが前方の白い道を見上げると
いつももう一人いる、きみのそばに　　　　　　　　　　　　　　　　　四〇
茶色のマントに身をつつみ、フードをかぶって滑るように行く
男か女か分からない
——がきみのそばにいるのは誰なのだ？

空高くからのあの音は何だ　　　　　　　　　　　　　　　　　　　　　四五
母の悲嘆のつぶやきなのか
うごめき移動するフードをかぶったあの群集は何だ
果てしない平原を、平坦な地平線のみが縁どる
ひび割れた大地をつまづきながら

山々の上のあの都市は何だ
炸裂と再建と爆発がすみれ色の大気のなかで
倒れつつあるいくつもの塔
エルサレム　アテネ　アレクサンドリア
ウィーン　ロンドン
非現実　　五〇

女が長い髪をぴんと引っぱって
それを弦にしてささやくような曲を弾いた
赤ん坊の顔をした蝙蝠(こうもり)の群がすみれ色の光のなかで
口笛を吹き、羽ばたいて　　五五
そして黒ずんだ壁づたいに頭を下にして這いながら降りていった
そして空中のいくつもの塔は逆さまになっていた
追憶の鐘を鳴らし、時を告げると
空(から)の貯水池と涸(か)れた泉から歌声がした。　　六〇

山々のこの崩れ落ちた穴のなかで
幽(かす)かな月の光のなかで、草が歌っている　　六五

ひっくり返されたいくつかの墓の上、礼拝堂のあるあたり
誰もいない礼拝堂、いまはただ風の住家だ。
窓はなく、戸は揺れ、
乾いた骨は人を害することはできない。
一羽の雄鳥（おんどり）だけが棟木（むねき）にとまっていた　七〇
コ　コ　リコ　コ　コ　リコ
稲妻の閃光（せんこう）のなか。それから湿った突風が
雨を運び

ガンジスの水位は底に迫った。そしてしおれた群葉は
雨を待った。おりしも黒い雲が　七五
遠くに集まった、ヒマラヤの上に。
ジャングルは背をまるくしてうずくまり、静まりかえった。
そのとき、雷が言った
ダー
ダッタ（施せ）——我われは何を施したか？　八〇
友よ、血が心臓を揺さぶり
一瞬身をあけ渡すあの恐ろしい大胆さ

老いの分別をもってもこれはおさえ込めない
このことで、このことのみによって我われは存在してきた
このことは我われの死亡記事には見出せない
あるいは善意の蜘蛛の巣に優美におおわれた記念碑にも
あるいは空家の部屋でやせた弁護士が開く封印にも　八五
ダー
ダヤヅワム（憐れめ）――わたしはドアの鍵が一度
廻るのを聞いた、ただ一度だけ廻るのを
我われはそれぞれ牢獄にいて、鍵のことを思い
鍵を思うことで、それぞれが牢獄を確かめる　九〇
ただ夕暮どき、霊的な流言が
一瞬にして虐殺されたコリオレイナスを甦(よみがえ)らせる
ダー
ダミヤタ（コントロールせよ）――船は応えた
楽しげに、帆とオールを巧みにあやつる手に　九五
海は凪いでいた。誘われたとき
喜んで、きみの心は、素直に鼓動しながら応じるだろう
コントロールしている手に　一〇〇

ぼくは岸辺に座って
釣りをしていた。不毛の平原を背に
せめて自分の土地だけでも使えるように整えておこうか？
ロンドン橋が落ちる　落ちる　落ちる
ソレカラ彼ハ浄火ノ中ニ姿ヲ消シタ　（イタリア語）　一〇五
イツワタシハ燕ノヨウニナレルノダロウ——おお、燕、燕　（ラテン語）
廃墟ノ塔ノ、アキタニア公　（フランス語）
ぼくを支えてきたこれらの断片が身の破滅に抗してきた
それでは仰せに従いましょう。ヒエロニモはまた気が狂う。
ダッタ。ダヤヅワム。ダミヤタ。　一一〇
シャンティ　シャンティ　シャンティ

この章の最初のところでは、三つのテーマを扱っている、と自註にある。それは、エマオへの旅、『祭祀からロマンスへ』にある「危険な礼拝堂」との遭遇、東ヨーロッパの衰退、としている。「エマオへの旅」は一から四四までで、キリストが磔刑になったあと、二人の弟子がエマオへ旅立ったときのエピソードである。愕然としながら歩いている二人に一人の旅人が加わる。彼は磔刑のことは知らない様子だった。三人は宿に入り、食卓につく。

旅人がパンを裂いたとき、二人はキリストであることに気づくが、同時にキリストは消え去った。次の四五から五五までが、東ヨーロッパの衰退であり、これは直接的には第一次世界大戦によるものであるが、ロシア革命もふくまれる。そして、「危険な礼拝堂」との遭遇は五六から七三までで、「危険な礼拝堂」とは円卓の騎士が聖杯探索の途次に、遭遇した奇怪な礼拝堂のことで、立ち塞がった関門である。

冒頭の「赤く照らす松明」からは、福田陸太郎は円卓の騎士とキリストが想い浮かぶ、と書いている。

手に手に松明を掲げて探索の旅を続けるアーサー王円卓騎士の姿。またこれには、キリストとその弟子たちの、ゲッセマネにおける祈りの姿も鮮明に出ている。

（『荒地・ゲロンチョン』）

「ゲッセマネにおける祈り」は、磔刑の前夜にオリーブ山麓ゲッセマネの園でのキリストの祈りのことである。ここで現代の円卓の騎士として詩人は岩塊地帯をさ迷っていた。七の「生きていたあの男」とは、キリストのことであると同時に、「Ⅳ水死」の章のフレバスであり、オシリスなどの再生の神々でもある。九の「忍耐に支えられ」は、キリスト復活への望みがそこにある。忍耐 patience は、キリスト再臨を待つ人びとを励ますために使徒がしばしば用いた言葉であった。

一〇に「水はなく岩だらけ」とあり、周囲は水のない荒地であった。一六の「足は砂にのめり込む」は、豊かさと冷淡の錯綜する近代社会は、不安定なものであるとするアレゴリーである。二一の「孤独さえない」ということは、生命のない領域である。二二の「赤い不機嫌な顔」が、次の行で「泥壁の家々の戸口」にあらわれるが、それらは聖杯探索の騎士が踏みこんだ危険な礼拝堂とそこに居る悪魔のアナロジーなのである。追いつめられた情況下、三五で「隠者鶫」の鳴声がする。三六の「ポタ」という擬音語は、水滴の落ちる音であるかのように聞こえてきた「隠者鶫」の鳴声である。

次の連は、歩いている二人に見知らぬ一人が加わっているのに気づくことからはじまる。四二でその男は「フードをかぶって」とあるが、復活したキリストである。『ルカ伝』には、復活の翌日、二人の使徒に気づかれないまま、夕食のときまでエマオの道を同行した、と書かれている。

連が移って四六の「母の悲嘆のつぶやき」は、イエスの死を嘆く声であるとともに、アドニス、オシリス、さらにギリシャの死と再生の神アッティスの死を嘆く古代人の声でもある。自註によると、四五の「空高くから」から五五の「非現実」までは、ヨーロッパの、少なくともヨーロッパの東半分が、混沌への途上にあることを、示唆しているという。東半分とは、第一次世界大戦の戦域とロシア革命のことであるが、「少なくともヨーロッパの東半分」としているのは西半分の実情が把握できていないためであり、むしろヨーロッパ全域を指している。四七の「フードをかぶったあの群集」は、ロンドン橋を渡っていた人びとでもある。さ迷っているのである。五一の「炸裂と再建と爆発」は戦争の歴史をいっている。次の行の「倒れつつあるいくつもの塔」からは、爆撃などで崩壊してゆく都市がイメージされる。五三の「エルサレム　アテネ　アレクサンドリア」は、ユダヤ、ギリシャ、エジプトの古代文明衰退のアレゴリーである。「ウィーン　ロンドン」が次につづいているが、物質文明も同じ道をたどっている、と言いたいのである。

五六の「長い髪」の女は、魔女のようでもあり、五八の「蝙蝠の群」は魔女に鼓舞されているかのようである。六二の「追憶の鐘」は、文明の終焉を告げるかのように響いてくる。次の行の「空の貯水池と涸れた泉から歌声」とは、生命感のない、あるいは死の歌声なのである。

六四の「山々のこの崩れ落ちた穴のなかで」の前までで、主人公である詩人の幻覚は終わり、ここから覚醒後の場面となる。六九の「乾いた骨」は、復活を望んでいる。次の行で「雄鳥」があらわれるが、鶏は豊穣をもたらし、悪霊を払うとされてきた。また、十二使徒の筆頭とされるペトロは捕えられたキリストのことを知らないと言い逃れしたのだったが、彼の悔恨の情をさそったのも鶏鳴であった。雄鳥が鳴き、悪霊は消え、新たな場面へとはいる。

連が変わるとともに、詩人は時空を突き抜け、ガンジス川のほとりに立っていた。ここから詩劇はクライマックスとなってゆく。七九の「**ダー**」は、雷鳴であるとともに神の声であるが、サンスクリットの単語にはない。ここからはじまる三つの「**ダー**」は、紀元前五〇〇年頃インドで書かれた哲学書『ブリハッド・アーラニヤカ・ウパニシャッド』に出てくるが、神々、人びと、霊たちが、創造主プラジャーパティに教えを求めると、それぞれに「ダー」と答えたのだ。神々は「コントロールせよ」と聞き、人びとは「施せ」と理解し、霊たちは「憐れめ」と解釈したという。この書は、古代ヒンドゥー教の経典『ウパニシャッド』のあとに置かれた詩的対話と註釈からできている。また、「ダー」はダダイズムとも重なっているといえることから、新しい文化芸術への標榜ともいえる。

雷の教えと詩人の内省が展開する。八〇の「ダッタ」の原語はDatta。同じ行の「何を施したか?」は、自己放棄はしてこなかった反省である。八二の「あの恐ろしい大胆さ」は、情欲に駆られることである。そして情欲というネガティブな人間性に支配されてきたことを、八四において「我われは存在してきた」と、糾弾するにいたる。八九の「ダヤヅワム」の原語はDayadhvam。同じ行の「鍵が一度／廻るのを聞いた」とは、終わりなき幽閉を意味する。自由を気ままに楽しむことは、幽閉であるというのであろう。大乗仏教の「利他行為」の暗示ともなっている。九四の「コリオレイナス」は、シェイクスピアの『コリオレイナス』の主人公で、紀元前五世紀のローマの勇猛な将軍であったが、プライドの高さからローマを追放され、最後は虐殺された。前の行の「流言」については、「コリオレイナス」は単なる野心家、逆に情のある人であったとかのいろいろな風説があったことによる。九六の「ダミヤタ」の原語はDamyata。この行の「船は応えた」は、風と波に適応することで、船は順調に走ることをいっている。自身をコントロールできてはじめて、自然や社会の破壊を避けられるとともに、社会や他者に貢献できる。自分の欲望で、自然、社会、他者を踏み台にしてはならないということでもある。

干上がり殺伐とした情況で聞こえてきた天地を響かす声は、意味は曖昧であっても、それとともに透明感のある崇高な空間に佇むことができる。内容は禁欲と外界との共生と自然への恭順という宗教的なものであるにもかかわらず、芸術色の濃い啓示的な空間を出現させている。

詩の場面は、ロンドンにはじまり、テムズ河から地中海へ、そして東ヨーロッパからインドを経由して再びロンドンに戻ってくる。そのときテムズ河での釣の場面となる。主人公の詩人は漁夫王の化身であることを暗示している。国土荒廃の起因は漁夫王の病にあることから、詩人は自らの覚りをひらこうとしているようでもある。一〇二に「不毛の」とあることから、雨は降らなかったのだ。次の行に「自分の土地だけでも使えるように整えておこうか?」という意志は、雷の言ったどのことも、実行できないできた、と自覚してのことである。一〇四の「ロンドン橋が落ちる」は、よく知られた童謡からの引用であるが、ロンドン橋は一二世紀から一六世紀にかけてしばしば流失や焼失をしたためにこの歌ができた。ここでは物質文明の崩落のアレゴリーである。一〇五の「浄火ノ中ニ姿ヲ消シタ」については、自註に『神曲　煉獄篇』二六歌一四八行目を見よ、とある。そこには「彼は彼らの罪を浄める火の中へ姿を消した」（平川祐弘訳）と同じような場面がある。浄火は救いに先立つ浄罪の火である。次の行の「燕ノヨウニナレル」は、フィロメラの姉が燕になったことからの連想である。その次の行の「廃墟ノ塔」は、ジェラール・ド・ネルヴァルのソネット（十四行詩）「遺産を奪われた者」からの引用で、この塔は聖杯城または危険な礼拝堂に相通じているのであろう。ここで前触れもなくあらわれる「アキタニア公」は、廃墟の塔に幽閉され、相続権を剥奪されるストーリーの主人公である。一〇八の「これらの断片」は、直前の三行の詩句であり、忍耐を掲げている。一〇九の「ヒエロニモはまた気が狂う」は、自註に書かれているように、トマス・キッドの戯曲『スペイン悲劇』の副題である。主人公である「ヒエロニモ」は、スペイン宮廷付きの司法官であるが、嫡子ホレーシオを殺害される。ヒエロニモは復讐を決意する。宮廷余興劇の上演を頼まれると、「それでは仰せに従いましょう」と引き受け、劇中劇の演技と見せかけて仇敵の殺害をなし遂げる。ここでの「気が狂う」とは、エンタテーメント志向の世において禁欲的な雷の教えを受けいれることである。

この精神の荒地ともいうべき現代にあって、このような教えに従おうと決心することは、それ自体すでに狂気の沙汰だとの結論なのであり、それならば狂気こそむしろ正常なのだ。逆説的な狂気こそ雷神の教えを実行できる唯一の道であるとでもいうような悲痛なイロニーになっている。

最後の二行は、ヒンドゥー教聖典『ウパニシャッド』から「施せ　憐れめ　コントロールせよ／静まれ　静まれ　静まれ」（〝Datta. Dayadhvam. Damyata./Shantih Shantih Shantih〟）からの引用である。最終行の「シャンティ」は『ウパニシャッド』の結語で、「知的理解を超えた平安」という意味もふくまれている。社会の再生と個人の救済をもたらす光明が、「シャンティ」の響きとともに灯りはじめる。

五―三　詩「荒地」とは何か

詩「荒地」は詩劇のスタイルをとっているが、物語や小説になくてはならない困難の克服あるいは波乱の恋の結末などはなく、各章の間のつながりは曖昧で、退廃的な都市生活や凡庸な言動のストーリーが、唐突に別のストーリーへといれ代わってゆく。客観的スタンスにあるはずの語り手には、主人公と神のスタンスのもう一人がいる。また、どちらであるのか判然としない語りもある。そのことも内容の把握を難しくしている。シュルレアリスム的な場面もふくんでいるが、「I死者の埋葬」のなかでその例を挙げると。六四の「死にやられてしまった人が」の幻惑的な場面、七三の「あの死体、／芽が出た？」の非現実的な出来事、七六の「犬を寄せつけるなよ、あいつは人間の仲間だ」の意味曖昧な行為などである。他方、別のストーリーへといれ代ってゆく展開はコラージュであるといえる。また、象徴主義でもたらされる形而上学的な、あるいは宇宙的なイメージが立ち上がってくることはない。この詩の「荒地」とは、近代化や戦争がもたらした自然環境や社会情勢の荒廃だけでなく、古来、人びとは凡庸と享楽的なスタンスの生き方をつづけてきた、また国家は繁栄という大義名分のもとに戦争をくり返してきたことの表象であるが、そのことに民衆も政治家も何の懐疑もないという精神の荒地をも意味している。情報化社会となり、いろいろなことが分かったつもりになりがちであるが、都合のよい情報を取捨選択しているだけであり、そのことが精神の荒地化を、さらに進めてしまっている。さまざまな機能が形象となって出現し、さまざまな情報がモニターに飛びかう社会の相貌は、まさに人間性欠如のコラージュといえよう。詩「荒地」はさまざまな事柄やストーリーが、シーケンシャルに貼り合わせられながら進んでゆく。このコラージュは、頽廃と物質主義の真実暴露と、そこからの再生のイメージを出現させる仕掛けをもっている。

さらにコラージュとは別に、重層構造といった方法もとっている。各場面や会話は、裏側から聖杯物語、『金枝篇』、聖書、仏教経典、ヒンドゥー教聖典、『神曲』、シェイクスピアの戯曲などによって意味づけされている。裏側の古典のもじりであることもあれば、裏側の古典がイロニーをもたらしていることもある。これが重層構造であり、日常の行動や社会の潮流に意味を加え、警鐘を鳴らしたりしている。重層構造はベルクソンのイメージの哲学が原理となっている。その原理では、過去の記憶の浸透も加わることで実在は認識されるという、そこで実在とはイメージであるとしている。さらに森羅万象、イメージということになる。この原理を裏づける理説が「純粋持続」である。「純粋持続」とは、知覚と記憶の融合が継続されることである。実態は「純粋持続」により認識されるという。流星を見たとき、それは実在そのものではなく、ある時間内の運動を認識したのであって、「純粋持続」での認識といえる。一九一〇年にエリオットは、ソルボンヌ大学に留学したが、一九一一年にはコレージュ・ド・フランスのベルクソンの講義に二ヶ月間出席した。このとき「純粋持続」の理説を修得したとされている。「荒地」では、進行中の場面や会話は古典のそれに重ね合わされ、あるいは場面は古典のある場面にタイムスリップする。こうすることで古典との相互作用がはたらき、新しい意味が創り出されている。これは「純粋持続」にもとづく認識ということであり、変哲のないようなことも、深淵な意味を帯びてくる。

詩「荒地」のテーマである、現代の人びとと社会の実態暴露と再生の啓示は、どのような展開で導き出されているかをたどることにする。再生への伏線は「I死者の埋葬」から敷かれているが、表に出てくるのは「V雷の言ったこと」にいたってからである。岩礫地をさ迷う詩人は、聖杯探索の円卓の騎士のアナロジーである。聖杯物語には基本的なパターンがあることは既に書いたが、わが国では馴染みのない聖杯物語のストーリーを簡単にたどり、自註に書いてある円卓の騎士と主人公の詩人とのアナロジーが、成り立っているのかどうか検討する。

クレチアン版では主人公は、ウェールズ出身の若者パーシヴァルであるが、さまざまなヴァージョンの集大成的とされるマロリー版での主人公は、漁夫王の孫にあたるガラハッドである。どちらの主人公も孫悟空的な強さである。マロリーの聖杯物語のあらすじは次のようなものである。漁夫王とも呼ばれているペレス王の娘と、円卓の騎士のランスロットの間に生れたガラハッドは、選考の関門を突破して円卓の騎士にとりたてられた。円卓の席についていたアーサー王と騎士の前に突然、聖杯があらわれ消え去った。円卓の騎士が聖杯探索に向かう。ガラハッド、パーシヴァル、アーサー王の甥のガウェインの三人だけが、聖杯がもちこまれ安置されている聖杯城にたどり着く。他の円卓の騎士は途中で傷

トマス・スターンズ・
エリオットの記念切手
（1986）

つき挫折する。漁夫王はあるときやみくもに飛んできた槍に腿を貫（つらぬ）かれ、それ以来病気に臥せっていた。ガラハッドは槍を手にとり、槍から滴る血を漁夫王の傷口にたらすと、王は元気をとりもどす。三人は聖杯を、以前にあった場所である聖都サラスに運ぶ。聖杯はここから天に戻される。漁夫王は不治の病から立ち直るとともに、国土は豊潤さをとり戻す。サラスの王が突然のように亡くなり、後継の王にガラハッドが選ばれた。聖杯とは見ても見えてこないものであるが、聖杯を見ることができたガラハッドはその場に倒れ、帰らぬ人となった。

　円卓の騎士は、森のなかを聖杯探索でさ迷っていたが、詩人は岩礫地をさ迷っている。円卓の騎士は危険な礼拝堂で出現する悪魔とも果敢に戦うが、「荒地」の詩人はよれよれと歩いているだけである。この姿からは覚りが拓ける前の仏陀が思い浮かんでくる。聖杯への到達とは、荒廃に屈しない決意あるいは救済推進のための覚りといえそうだ。詩法は知的に組み立てられたモダニズムの最高峰にもかかわらず、テーマは宗教に根ざした古典主義の提唱になっている。現代社会の軋轢や精神の荒廃を、宗教的な境地や祈りにより克服しようとしている。

五―四　主知主義からの啓示

この詩では、詩人が創り出した言語空間を鑑賞すればよいというのではなく、知識と洞察力にもとづいた解釈が求められている。現代社会では当然のことながら、自然崇拝は少なくとも日常からは消滅しているが、非日常においても居場所を失っているのである。近代化の進展とともに、物質的な豊かさだけでなく、さまざまなエンタテーメントやゲームも享受できるようになり、それが知的なスタンスにあるかのような勘違いをしている。自然崇拝というプリミティブなスタンスは受けいれ難くなっている。詩「荒地」は自然崇拝志向にもとづく、キリスト教、仏教、ヒンドゥー教の融合を図っている。それは自然に生活が依存していた古代の精神への回帰の提唱や、物質的繁栄へ猪突猛進することへの警鐘なのである。

他方、エリオットがモチーフとして明言している聖杯伝説や自然崇拝といったベースにこだわらない鑑賞もできる。陰謀も恋のかけ引きもなく、人びとの営みの場面が、次々に貼り合わされてゆく。日常生活の倦怠払拭やビジネスのストレス解消のための享楽がくり返されている。場面と会話は、前述した重層構造で組立てられていて、下層にある神話、物語、詩劇、戯曲、小説あるいは古代の宗教儀礼と相互に作用している。それはどのようにくりひろげられているのか、代表的なケースでふり返ると。「I死者の埋葬」では、二一の「人の子よ」は旧約聖書の引用、六二の「霧のなか」はボードレールの詩「七人の老人」にあるパリの情景、六四の「死にやられてしまった人」は『神曲　地獄篇』の場面、六九の「九時」はキリスト絶命の時刻、七二の「ミュラエの戦い」はポエニ戦争、「Ⅱチェス遊び」では、一の「磨かれた王座」はクレオパトラのエピソード、二二の「フィロメラの絵」は『変身物語』、五一の「おお、おお、おお、おお」はシェイクスピア悲劇での嘆き声、「Ⅲ火の説教」では、一九の「難破した兄の王」はシェイクスピアの『あらし』、二六の「スウィーニー」は『蜂の会議』、四六の「テイレシアス」は『変身物語』、一〇七の「エリザベス女王とレスター伯」は史実のスキャンダル、一三五の「カルタゴに来た」はアウグスティヌスの『告白』、「Ⅳ水死」では、一の「フェニキア人フレバス」は『オデュッセイア』とアドニスやオシリスの神話、「Ⅴ雷の言ったこと」では、七の「生きていたあの男」はキリスト、フレバス、オシリスなどの再生の神々、三八の「歩いている三人目」は復活したキリスト、五三の「エルサレム　アテネ　アレクサンドリア／ウィーン　ロンドン」は文明衰退を代表した都、七九の「ダー」は『ブリハッド・アーラニヤカ・ウパニシャッド』、一〇二の「釣りをしていた」からは漁夫王、一〇九の「ヒエロニモはまた気が狂う」は『スペイン悲劇』、最終行の「シャンティ」は『ウパニシャッド』の結語というように、それぞれが下部構造に支えられている。この重層構造により日常のドラマ化、思想哲学的な意味づけが推し進められている。

ときおり主人公でもある語り手や登場人物の愚痴や告白を交えながら、日常における言動が、詩的あるいは思想哲学的に深淵な言語空間へと飛躍する。知力をこらして組み立てられたフィクションが、現代の世界観や人生観をあばき出し、また、自己満足的な行動をルポルタージュしながら、現代人の生活や社会の実態を糾弾している。別々なストーリーと異なった年齢層の登場人物、職業・場面の設定が、相互に反応し合い、現代の生活に新たなドラマ性や教訓的な意味を湧き出させながら、啓示をもたらすクライマックスへと進展してゆく。そこには反省や改革への奮起が促されるはたらきがある。また、従来の日本語訳は、諧謔的に現状を批判するとともに、抒情的に厭世感を表出する語調となっているが、原文における淡々としていて力強い語調からは、頽廃的な生き方にも、それぞれの人びとの満足感やしたたかさが見出されてくる。逆に、そのような満足が精神の荒地化をもたらしている、と示唆している。現代人としてのエゴイズムと古典主義である宗教的求道心とのせめぎ合いのなかで、人間として鍛えられていかなくてはならないということである。各章があるいはストーリーとストーリーが反響し合うことで、現状から脱却するエネルギーを湧き立たせている。読者は再生へと鼓舞されることになる。

シュルレアリスム的な場面を交えながらも、「V雷の言ったこと」の章以外は現実的で小市民的なストーリーであり、それらはロマン主義の霊的な、あるいは象徴主義のコスモロジー的な世界とは大きく隔たっている。現代における、精神の荒廃や俗悪的な営み、および国の物質主義的な政策の暴露と、そこからの再生の啓示が、コラージュや重層構造などの前衛的な方法で推し進められている。このモダニズムがキリスト教、仏教、ヒンドゥー教を融合したバイブルを創出しているといえよう。

《参考文献》

深瀬基寛：エリオット、筑摩書房、一九六八
西脇順三郎、浅野晃、神保光太郎・編：名訳詩集、白凰社、一九六七
T・S・エリオット／福田陸太郎、森山泰夫・注訳：荒地・ゲロンチョン、大修館書店、一九六七
エリオット／岩崎宗治・訳：荒地、岩波書店、二〇一〇
ジョイス／丸谷才一、永川玲二、高松雄一・訳：ユリシーズI、河出書房新社、一九八〇
エズラ・パウンド／新倉俊一・訳：エズラ・パウンド詩集、小沢書店、一九九三
マルコム・ゴドウィン／平野加代子、和田敦子・訳：聖杯伝説、原書房、二〇一〇
ローズマリー・サトクリフ／山本史郎・訳：アーサー王と聖杯物語、原書房、二〇〇一
アンドレ・ブルトン／巖谷國士・訳：シュルレアリスム宣言・溶ける魚、岩波書店、一九九二
巖谷國士：シュルレアリスムとは何か、メタローグ、一九九六
中村昇：ベルクソン＝時間と空間の哲学、講談社、二〇一四
高柳俊一、佐藤亨、野谷啓二、山口均：モダンにしてアンチモダン、研究社、二〇一〇
ガストン・バシュラール／岩村行雄・訳：空間の詩学、筑摩書房、二〇〇二

六　日本のモダニズム黎明期

六―一　近・現代詩の成立とモダニズム台頭

わが国の詩史について、近代詩・現代詩の成立とモダニズムの台頭までをたどる。明治一五年に東京大学教授の外山正一、矢田部良吉、井上哲次郎による訳詩集『新体詩抄』が刊行にいたったが、用語や発想は短歌にならいつつ、文語に七五調の音数律をかぶせた訳であった。訳詩のなかにテニスンの「輕騎隊進撃ノ詩」、カムプベルの「英國海軍の詩」などがあることからも分かるように、官僚ミリタリズムが基調にあった。訳詩一三篇だけではなく、創作詩六篇もふくまれていて、外山正一の、西南戦争を題材にした「抜刀隊の詩」は有名である。このように文化芸術的な価値は希薄であったが、西洋の詩がいかなるものかを知らせた歴史的な意義は大きかった。国木田独歩は一二歳のとき、土井（つちい）晩翠は一四～五歳のとき、『新体詩抄』を読んでいた。森鴎外は明治二二年の書簡で、「外山等の新体詩は『詩』にあらず」と批判した。明治二二年に森鴎外を中心とする「新声社」が訳詩集『於母影』を刊行した。掲載されたゲーテ、ハイネ、バイロンなどの詩は、ロマン主義の発芽をうながすことになった。ロマン主義の文語詩の幕開けは、明治二四年刊行の北村透谷の詩劇『蓬莱（ほうらい）曲』であった。一四歳のとき富士登山をしたときの体験を織り込んでいた。明治三〇年に島崎藤村の詩集『若菜集』が刊行され、近代の新しい抒情が開示された。現在では『若菜集』の詩は、七五調を中心とした文語定型詩で、古風な語感をもったものにみえるが、当時は時代の新声と受けとめられた。明治三八年には上田敏の訳詩集『海潮音』が刊行され、そこでのヴェルレーヌの詩「落葉」やカール・ブッセの詩「山のあなた」の訳において、日本的な抒情と西洋の詩情（ポエジー）の融合が図られていた。この訳詩集の影響を受けて、明治四二年の北原白秋の詩集『邪宗門』が刊行された。『邪宗門』はまだ文語体で、文語の調べに乗せて、明治期の風俗・風土や恋心に聖書の世界のイメージを重ねることで、異国情緒を交えた妖艶な詩情をくりひろげてはいるものの、独自の思想には欠けていた。大正二年に永井荷風の訳詩集『珊瑚集』が刊行され、より洗練された訳でボードレールやヴェルレーヌの詩が登場した。

二葉亭四迷の訳したツルゲーネフの『あひびき』に感化された国木田独歩が、明治三一年に発表した『武蔵野』（『国民之友』発表時は『今の武蔵野』）では、簡潔で自由な表現が口語でくりひろげられていた。他方、自由詩の口語への移行は進んでいなかったが、島村抱月が明治三九年に文芸時評『文章世界』において、詩の言文一致を要請した。川路柳虹（りゅうこう）や相馬御風（ぎょふう）によって口語詩が書かれたものの、試作的な段階であった。そして、白樺派の理想主義の影響を受けた高村光太郎は、大正三年に詩集『道程』を刊行した。この詩集は口語自由詩をほぼ完成させたもので、現代詩の原型を示した。つづいて大正六年に萩原朔太郎の『月に吠える』で、口語詩はひとつのピークに到達した。ここから現代詩がはじまったとされている。
『道程』ではモラリズムと近代的自我が提言されていて、『月に吠える』は象徴主義的な境地をもたらしていた。また、大正四年の山村暮鳥の詩集『聖三稜玻璃』は、革新的な作風が貫かれていて、完成度の高い象徴詩を実現していた。

大正一一年に週刊誌『週刊日本』に高橋新吉の散文詩「断言はダダイスト」が発表されたことで、わが国における文学のモダニズムはスタートした。この年に井口蕉花、春山行夫、近藤東、山中散生が、名古屋で詩誌「青騎士」を創刊した。しかし、大正一三年に井口蕉花が亡くなると、「青騎士」は蕉花追悼号をもって終刊となった。

また、大正一一（一九二二）年に西脇順三郎はイギリスに留学したが、この年にエリオットの詩「荒地」が発表されている。この留学中の大正一三（一九二四）年にはフランスでブルトンの『シュルレアリスム宣言』が出された。

大正一二年には、アナーキズム系の詩誌「赤と黒」が、萩原恭次郎により創刊され、ダダイズム的な現実社会の否定と破壊を目ざした。同人には、壺井繁治、岡本潤、川崎長太郎（詩誌命名者）などがいた。彼らは〝詩壇のテロリスト〟とも呼ばれた。創刊号の表紙には、「詩とは？　詩人とは？　我々は過去の一切の概念を放棄して、大胆に断言する！」と印刷されていた。

ブルトンの『シュルレアリスム宣言』が出された大正一三年に、安西冬衛、北川冬彦が大連で創刊した詩誌「亜」は、モダニズム風な虚構的詩作を推し進めていた。

大正一四年にイギリス留学から帰国した西脇順三郎は、文学誌「三田文学」に評論「PROFANUS」を発表して、わが国に、モダニズムを詩論としてはじめて紹介した。伝統的な抒情を拒み、つまらない現実を興味ある現実に変える詩法を説いた。

昭和二年に、冨士原清一、北園克衛、上田敏雄、上田保により、シュルレアリスムの探究を目論んだ詩誌「薔薇・魔術・学説」が創刊され、北園克衛、上田敏雄、上田保の連名で「日本におけるシュルレアリスム宣言」が発表されるにいたった。この年には詩誌「馥郁タル火夫ヨ」が西脇順三郎、瀧口修造、佐藤朔、上田保によって創刊された。

昭和三年、春山行夫が編集長となって、詩誌「詩と詩論」が創刊となった。安西冬衛、飯島正、上田敏雄、神原泰、北川冬彦、近藤東、滝口武士、竹中郁、外山卯三郎、三好達治の一〇名が編集同人となり、また、西脇順三郎、吉田一穂、北園克衛、冨士原清一、上田保、瀧口修造、山中散生、村野四郎、中野嘉一などが詩や文芸評論を寄稿した。モダニズム系の代表的な詩人が集まり、芸術とは方法論的に創造すべきとの理念をかかげ、詩を絵画性・造型性の方向に導こうとするレスプリ・ヌーヴォーの運動、ならびにシュルレアリスムの探究が推し進められた。「詩と詩論」は将来につながるモダニズムの流れをつくり出した。この年には、「薔薇・魔術・学説」と「馥郁タル火夫ヨ」とが合体して、西脇、冨士原、北園、上田兄弟、瀧口、佐藤による詩誌「衣裳の太陽」が創刊となった。

春山行夫

昭和四年には山中散生の詩誌「シネ」が、シュルレアリスム系として創刊となった。山中はブルトン、エリュアールと文通をしたうえで、「シネ」「詩と詩論」などにブルトンらの作品を発表した。この年に西脇順三郎は『超現実主義詩論』を刊行し、西脇独自の超現実主義を提言した。体系的にまとまりのある詩と芸術のモダニズム論であった。

昭和五年、春山らの現実遊離の様式化された審美主義に不満をもった北川は、「詩と詩論」を脱退して、詩誌「詩・現実」を創刊した。そして、「詩と詩論」は昭和六年に終刊となったが、翌年に「文学」に改題して継続したものの、一年で終刊した。モダニズムの流れは翌年の昭和九年、春山を中心に近藤東が編集を担当した詩誌「詩法」が引き継いだ。昭和一〇年に北園克衛は詩誌「ＶＯＵ」を創刊して、内容より形式を問うべきとするフォルマリズムから抽象主義へと展開するモダニズムを目ざした。この年に、春山行夫は自著の出版を通じて縁のあった第一書房から要請されて、月刊誌『セルパン』の編集を引き受けた。春山は同誌を政治や文化、海外事情などの話題を幅広くとり上げる総合誌として生れ変わらせた。

六―二　ダダイズムの到来

ヨーロッパにおいては、文化芸術のモダニズムの萌芽として、イジドール・デュカスとアルチュール・ランボーがあらわれ、それから大正五（一九一六）年、トリスタン・ツァラの『ムッシュー・アンチピリンの宣言』によってモダニズムは運動として発進したので

高橋新吉

ある。

　高橋新吉は明治三四年、愛媛県伊方町の生れである。大正九年、一九歳のとき、「万朝報」という新聞に「享楽主義の最新芸術――戦後に歓迎されつつあるダダイズム」という見出しの文芸記事を読んで衝撃をうけ、ダダイズムに傾倒した。「戦後」というのは第一次世界大戦の、である。そして、県立八幡浜商業学校を中退して、放浪に出た。大正一一年に週刊誌『週刊日本』に、高橋新吉の散文詩「断言はダダイスト」が発表された。その翌年には第一詩集『ダダイスト新吉の詩』を刊行するが、佐藤春夫の新吉を適切に評価した、次の序文が付されていた。

　ダダイズムというものがどんなものであるか僕は知らない。だから高橋がダダイストだがどうだかそんなことも知らない。知る必要のないことだ。ただ僕は知っている。高橋の芸術と生活とはアカデミシャンの様子ぶった芸術に対する叉、平俗的な幸福のなまぬくい生活に対する徹底的の反抗と挑戦とである。彼の消極的な――いや消極をも積極をも超越した態度は、上述の意味で力強いものである。

――略――

（『日本の詩歌　20　中野重治・小野十三郎・高橋新吉・山之口貘』）

わが国におけるダダイズムのはじまりであった。ツァラの『ムッシュー・アンチピリンの宣言』の七年後のことである。この詩集の冒頭で「ＤＡＤＡは一切を断言し、否定する」と書いている。しかし二年後にはダダイズムに見切りをつけ、禅の詩人へと変身してしまう。中原中也が『ダダイスト新吉の詩』を読んで感化され、詩をはじめたきっ掛けになったことは、よく知られている。詩「皿」は、食堂の皿洗いをしていた時の心境を語っている。

皿

高橋新吉

皿皿皿皿皿皿皿皿皿皿皿皿皿皿皿皿皿皿皿皿皿皿
　倦怠
　額に蚯蚓(みみず)這う情熱
白米色のエプロンで
　皿を拭くな
鼻の巣の黒い女
其処にも諧謔が燻(いぶ)すぶつてゐる
　人生を水に溶かせ
冷たいシチユーの鍋に
退屈が浮く
　皿を割れ

皿を割れば
倦怠の響が出る

（『ダダイスト新吉の詩』大正一二年）

ある新聞社の食堂で働いていたときの、皿洗いの経験をベースにしている。冒頭は積み上げられた皿をイメージしている。倦怠感は狂気へと進み、皿を割ることで消散する。倦怠から詩を導きだした最初の詩人はボードレールであったが、倦怠からの脱却に、ここでは皿を破壊している。破壊は従来の常識や社会秩序の破壊であり、行動への出発点なのであろう。

六―三　モダニズムの先駆け・詩誌「亜」

モダニズム系の詩誌として、大正一一年の「青騎士」が先駆けであった。モダニズムを目ざしていたものの、まだ象徴主義的な作風の域であった。この年はエリオットの詩「荒地」が発表された年であり、ブルトンの「シュルレアリスム宣言」は、この二年後であり、ヨーロッパでも詩のモダニズムの方法や意義は、判然としていなかったことを考えれば、それは当然のことであった。むしろ、わが国から遠く離れた大陸において、伝統的な抒情とのかかわりを断ったモダニズム的な詩が作り出されていた。それは、大正一三年に大連で、安西冬衛（ふゆえ）と北川冬彦により創刊された前衛的詩誌「亜」においてであったが、そのレベルはダダイズムやシュルレアリスムを反映したものではなく、ロマン主義的な抒情や象徴主義的な芸術空間を拒否したという意味でのモダニズムであった。短詩や散文詩に新たな詩法を模索していた。
安西冬衛は明治三一年、奈良市生れで、堺中学卒業後の大正九年、父に従い大連に渡った。翌年、満洲鉄道に入社するが、寒気のため右膝関節炎にかかり右脚を切断する。昭和四年刊行の第一詩集『軍艦茉莉』は、主に大連時代に書いた作品である。「亜」終刊後に「詩と詩論」創刊に参加する。

軍艦茉莉

安西冬衛

一

「茉莉(マリ)」と呼ばれた軍艦が北支那の月の出の碇泊場に今夜も錨(いかり)を投(い)れてゐる。岩塩(がんえん)のやうにひつそりと白く。

私は艦長で大尉だつた。娉嫖(すらり)とした白皙(はくせき)な麒麟(きりん)のやうな姿態が、われ乍(なが)ら麗(うる)はしく婦人のやうに思はれた。私は艦長公室のモロツコ革のデイヴンに、夜となく昼となくうつうつと阿片(あへん)に憑(つ)かれてただ崩れてゐた。さういふ私の裾には一匹の雪白なコリー種の犬が、私を見張りして駐(とど)まつてゐた。私はいつからかもう起居(たちゐ)の自由をさえ喪(うしな)つてゐた。私は監禁されてゐた。

二

月の出がかすかに、私に妹のことを憶(おも)はせた。私はたつたひとりの妹が、其後どうなつてゐるのかといふことをうすうす知つてゐた。妹はノルマンデイ産(うま)れの質のよくないこの艦の機関長に夙(と)うから犯されてゐた。しかしそれをどうすることも今の私には出来なかつた。それに「茉莉」も今では夜陰から夜陰の港へと錨地(びょうち)を変へてゆく、極悪(ごくあく)な黄色賊艦隊の麾下(きか)の一隻になつてゐる――悲しいことに、私は又いつか眠りともつかない眠りに、他愛もなくおちてゐた。

――以下略――

（詩集『軍艦茉莉』昭和四年）

安西冬衛

わが国では、大正一〇年頃からの新散文詩運動により散文詩が書かれはじめた。「茉莉」は木犀科の潅木で、夏秋に白色の五弁花を咲かす。この花が軍艦名というのはイロニーである。「娉嫖とした」色白の艦長というのもイロニーといえる。第二連の「黄色賊艦隊」は造語で、黄色人種の海賊艦隊である。「茉莉」はだ捕され、「妹」は海賊に犯されてしまったのだ。エドガー・アラン・ポーの短篇小説を思わせる怪奇さとドラマ的なスリルとがある。

文学史上の最初の散文詩は、一八四二年に出版されたアロイジウス・ベルトランの散文詩集『夜のガスパール』であるとされている。ほとんどが四〇行以下の物語で、中世的な奇怪さを背景として、散文詩の領域をきり拓いた。この散文詩集に触発されて、ボードレールが書いた散文詩集が『パリの憂鬱』であり、民衆のなかにはいって語るといった、民衆志向にもとづいている。そこでは、日常のなかでの喜び怒り悲しみ不安をテーマにして、詩を掬いあげるとともに、格言や社会通念に異議を唱えることも推し進めている。詩「軍艦茉莉」には思想的な狙いや社会批判はなく、『夜のガスパール』と共通した、ヨーロッパの中世・近世的な奇怪さやうす暗さがあり、そこに耽美的な境地を見出すことができる。

春

安西冬衛

てふてふが一匹韃靼（だったん）海峡を渡って行った

（詩集『軍艦茉莉』昭和四年）

「韃靼」はモンゴル系のタタールのことで、「韃靼海峡」は間宮海峡のことである。大陸のどこをというと、シルクロードを目ざしていると思いたい。「春」の題名からは、新しい何かをきり拓こうとしているイメージがる。大陸と蝶とのコントラストの雄大さに、物語が連想されてくる。

北川冬彦は明治三三年、大津市生れで大津小学校一年のときに、父親が満州鉄道に勤務となったことから家族とともに満州へ渡り、大連、旅順などですごした。東京大学在学中に帰省先の大連で、大連在住の安西冬衛らとともに短詩運動の詩誌「亜」を創刊した。昭和二年、「亜」終刊後に「詩と詩論」創刊に参加し新散文詩運動を推進しようとしたが、昭和五年には「詩と詩論」を離れ、神原泰、三好達治らとともに詩誌「詩・現実」を創刊する。昭和四年刊行の第二詩集『戦争』で注目される。映画評論家としても活動した。

瞰下景（かんかけい）

北川冬彦

ビルディングのてっぺんから見下ろすと
電車・自動車・人間がうごめいてゐる
眼玉が地べたにひっつきさうだ

（詩集『三半規管喪失』大正一四年）

最終行の「眼玉が地べたにひつつきさうだ」については、作者自身が「つまり、高いところから見下ろすと、下へすいこまれるような状態になる、その感覚を表現したものである」と解説しているが、高度への恐怖から目が眩んでいる感覚といえる。恐怖の実感が言葉で表現されている妙趣といえる。

馬

北川冬彦

軍港を内蔵している。

（詩集『戦争』昭和四年）

「馬」の漢字は、下の四つ点が停泊している艦船とすると、軍港に見えるのである。また、「馬」から軍馬も連想される。「馬」が軍港に見えるというイロニーから、戦争の冷徹さや恐怖が、表象されている。「馬」という言葉の意味を変えることは、ダダイズムでもある。安西の詩「春」が、ドラマ的あるいはロマン主義的であるのに対して、詩「馬」は社会批判的あるいはモダニズム的である。

日露戦争の講和条約である明治三八年のポーツマス条約により、大連は日本に租借権が譲渡された。日本よりも大陸の方で軍靴が不気味に響いていたにちがいない。それにいち早く気づいての詩である。

鯨

北川冬彦

巨大な鯨(くぢら)を浮かべると、海峡は一瞬ののち壊滅されて了(しま)つた。
無辜(むこ)の海峡。
いな。いな。正された方向の方向。
悪は、すでに巨大な鯨を浮かべたところにあるのだ。
海峡への思い出、これも立派な悪の所業也。
巨大であること、それは凡(すべ)て悪である。悪にほかならん!

(詩集『戦争』昭和四年)

「鯨」からは戦艦がイメージされてきて、そこから軍国主義政権のアレゴリーであることが分かる。一行目の「海峡」という言葉に、安西冬衛と共通のこだわりであるが、大陸に住んでいたことによる世界観が感じられる。最終行の「巨大であること、それは凡て悪」とは、軍国主義や帝国主義という膨張政策は破滅をもたらすということだ。「海峡」が民衆であるとすると、この「鯨」により、民衆は生活も生命も破壊されることになる。この一行は一段と大きな文字サイズになっているが、怒りの叫びを形象化している。

北川冬彦

六—四　「詩と詩論」時代のモダニズム

春山行夫は明治三五年、名古屋市の生れで、大正六年に名古屋市立商業学校を中退した。大正一一年に詩誌「青騎士」を創刊した。「青騎士」が終刊となった大正一三年に東京にやって来た。この年に第一詩集『月の出る町』を刊行した。英語・フランス語をほとんど独学でマスターした。大正一五年に近藤東と詩誌「謝肉祭」を創刊する。昭和三年に教育書出版の厚生閣に入社するとともに詩誌「詩と詩論」を創刊したが、新しい詩の形式と方法を模索する実験室の役割をになっていた。「詩と詩論」は、瀧口修造の未完の詩論『詩と実在』をはじめ、西脇順三郎、上田敏雄、北園克衛らの評論が掲載され、日本のモダニズム詩の大きな流れをつくり出した。昭和四年に第二詩集『植物の断面』を刊行する。

仮寓の小景

春山行夫

一つの海景は　静寂の壁につられてゐる
秋の樹のなかの時刻のやうに

絵のなかの白帆は　暗い部屋のなかの薬瓶（くすりびん）のやうだ。
軽い病（やまひ）して　このごろ私に睡眠（ねむり）がない。

（詩集『月の出る町』大正一三年）

仮寓すなわち仮住まいで軽い病気となり、朦朧としている。最初の行で、「壁」には「海景」が見えてくる。次の行の「秋の樹のなか」は、「秋の林のなか」なのであろう。「海景」から静かな林の風景に転遷している。次の連となって、そこに「白帆」があるようだが、ロマンチックなものではなく、「薬瓶」のようだ、という。かすかに光る「薬瓶」は、憂鬱な内面の暗喩である。詩集『月の出る町』はリリシズムの域を抜け出していなかった。

＊

一年

春山行夫

薔薇の花が咲いたり蘆(あし)の葉が戦(そよ)いだりすると
爾(きみ)はいつも僕を思ふといふ
その時どんなに一年が僕等にたくさんであらう

一月僕等は生れる鋪石(しきいし)の雪である
二月僕等は燃える暖炉の物語である
三月僕等は花咲(ひら)く温室のチュウリップである
四月僕等は喋言(しゃべ)るお寺の白鳩である
五月僕等は笑ふ公園の廻旋鞦韆(しゅうせん)である
六月僕等は唄ふ月夜のカスタネットである
七月僕等は夢見る広縁(バルコン)の花火である
八月僕等は忘れてしまつた馬車の中の扇である
九月僕等は寒がりな風見(かざみ)鶏の風である
十月僕等は咳をする葡萄畑の噴水(ふきあげ)である
十一月僕等は嘆く落葉の道化役者(ハアレキン)である
十二月僕等は死んだ墓場の氷雨である

そしてまたも夕焼がしたり三日月が出たりすると
爾(きみ)はおなじやうに僕を思ふといふが
いまはどんなに一年が僕等に空虚(むな)しいことであらう

＊

——以下略——

（詩集『植物の断面』昭和四年）

自らの存在を、見馴れた光景での暗喩で表現している。それぞれの月の実態や印象を、暗喩で「僕等」と重ね合わせている。ずれのある暗喩はモダニズムといえるが、観念的な日常からの離脱を図っている。第二連一行目の「生れる」は、擬人法であらわれるということであろう。この行の「鋪石(しきいし)の雪」は平凡な存在であるが、それが「僕等」となると、意外性がある。最後の「十二月」の「氷雨」は、分かりやすいオーソドックスな暗喩であり、抒情性が濃い。最終行で「空虚い」としている。一年をふり返ると、これといったドラマはなく、虚しくすぎたという虚無感に沈んでいるのである。

春山行夫

——略——

*

白い少女　白い少女　白い少女　白い少女　白い少女　白い少女
白い少女　白い少女　白い少女　白い少女　白い少女　白い少女
白い少女　白い少女　白い少女　白い少女　白い少女　白い少女
白い少女　白い少女　白い少女　白い少女　白い少女　白い少女
白い少女　白い少女　白い少女　白い少女　白い少女　白い少女
白い少女　白い少女　白い少女　白い少女　白い少女　白い少女
白い少女　白い少女　白い少女　白い少女　白い少女　白い少女
白い少女　白い少女　白い少女　白い少女　白い少女　白い少女
白い少女　白い少女　白い少女　白い少女　白い少女　白い少女
白い少女　白い少女　白い少女　白い少女　白い少女　白い少女
白い少女　白い少女　白い少女　白い少女　白い少女　白い少女
白い少女　白い少女　白い少女　白い少女　白い少女　白い少女
白い少女　白い少女　白い少女　白い少女　白い少女　白い少女

白い少女　白い少女　白い少女　白い少女　白い少女　白い少女

＊

白い遊歩道です
白い椅子です
白い香水です
白い猫です
白い靴下です
白い頸(くび)です
白い空です
白い雲です
そして逆立ちした
白いお嬢さんです
僕の Kodak です

（詩集『植物の断面』昭和四年）

題名「ALBUM」には、イメージの記憶といった意味がある。「白い少女」の羅列は、フォルマリズムを目ざしたものだ。「白い少女」は白い服の少女であろう。ひろびろした草原もイメージされてくる。少女の可憐さの抽象化とともに、「白」に新たなイメージが加えられたといえる。最後の連はリゾートホテルの野外の光景が想い浮かぶが、具象の事物は、抽象的な図案に変容してゆく。最後から三行目の「逆立ちした」は、シュルレアリスムといえる。最終行の「Kodak」はアメリカのカメラ・写真フィルムのメーカーである。この芸術的であり形而上学的でもあるイメージからは、象徴主義的なモダニズムといえる。西脇順三郎は詩集『植物の断面』を、わが国でのはじめてのモダニズム詩集であるとともに、イマジズムの詩集として論じている。

そうした理論をもとに書いた『植物の断面』は、たしかに他の新しい詩人が書けなかった一つの傑作であると思う。要するに日本では初めての作品であった。そうした表現方法は一名イマジズムといわれていた。この詩集をよむと（よむというよりも見ると）私はジャコブよりもエズラ・パウンドとかオールディングトンとかスタインなどの詩を見ているようで、清潔でしかもやや神秘性が香る。

（『日本の詩歌　25　北川冬彦・安西冬衛・北園克衛・春山行夫・竹中郁』）

北園克衛は明治三五年、伊勢市の生れで、中央大学経済学部を卒業した。昭和二年に、冨士原清一らとシュルレアリスム系の詩誌「薔薇・魔術・学説」を創刊した。西脇順三郎、瀧口修造らとシュルレアリスム運動を起こした。昭和四年に刊行した第一詩集『白のアルバム』は、日本ではじめてのフォルマリズム詩集であった。「詩と詩論」に参加するが、「詩と詩論」からは離脱しフォルマリズムを目ざし、昭和一〇年に詩誌「VOU」を創刊する。昭和一五年に「VOU」は休刊となるが、戦後の昭和二一年に復刊する。

記号説

北園克衛

☆

白い食器
花
スプウン
春の午後三時
白い
白い
赤い

☆

プリズム建築
白い動物
空間

青い旗
林檎と貴婦人
白い風景
☆
花と楽器
白い窓
風
☆
貝殻と花環
スリッパの少女
金糸鳥の熟れる汽船のある肖像
☆
温室の少年
遠い月
白い花
白い
☆

——略——

（詩集『白いアルバム』昭和四年）

リアルな描写はまったくなく、抽象絵画的に事物の羅列があるだけである。この羅列を材料に、読者がそれぞれに連想することが求められる。最初の連の「白い食器」と「花」からはレストランの室内が浮かんでくる。第二連に移り、「プリズム建築」はホテルの外観であろうか。次々に何かをイメージすることで、清新な空間に佇むことができる。

詩集『白のアルバム』の序に、春山行夫は「文学に於いて書かれた部分は単に文学に過ぎない。書かれなかった部分のみが初めてポエジイと呼ばれる」と書いているが、「文学に於いて書かれた」とは描写や会話のことであり、「文学に過ぎない」とはドラマであるということであり、他方、「書かれなかった」とは言葉を記号のように使うことであり、「ポエジイ」とは言葉によるイメージであり、それが芸術ということにもなる。

美しい秘密

北園克衛

彼女たちは美しいことが何であるかをよく知つてゐて
不意に写真機のなかへ真逆(まつさかさま)に墜(お)ちて来ます（パラソルの骨も折らずに）

かうした現実が僕の夢でもあるから
貴女の白い破片が何になるかヴィナスよ

生活よりも軽く物質よりも重い夏
夏は恋の季節ではないのですが
あなたの愛が扇のなかから生れるなら
真実ヴィナスも貝殻のなかから生れたのかも知れぬ

冒険的な眼たちのなかにあなたがゐた

（詩集『若いコロニイ』昭和七年）

軽いタッチの語りである。二行目の「写真機のなかへ」からは、ファインダーから見ている、あるいは枠の中の光景が浮かんでくる。第三連一行目の「生活よりも軽く物質よりも重い夏」は詩人の主観であるが、「夏」には非日常的な重要さがあるととれる。最後から二行目の「ヴィナス」からはギリシャがイメージされてくるが、前の行の「扇のなかから」は「ヴィナス」が「貝殻のなかから生れた」という神話を語るための序詞といえ

北園克衛

そうだ。女性讃美のポエジーである。最終行の「冒険的な」はシュルレアリスム志向といえる。

驟雨

北園克衛

友よ　またアポロが沖の方から走ってくる
雨のハアプを光らせて
貝殻のなかに夕焼けが溜る

（詩集『夏の手紙』昭和一二年）

ギリシャの風景を押しつけてくるイメージがある。二行目の「雨のハアプ」からは、雨脚をハープの弦に重ね合わせている。アポロ的な明るさに溢れている。最終行の「貝殻のなかに夕焼け」は、ボードレール的なイロニーであり、象徴主義の手法であり、宇宙的な空間がたち上がってくる。

西脇順三郎は北園克衛の詩を、「オブジェの詩」であると論じている。

『白のアルバム』に春山行夫君の「北園克衛について」という紹介文が初めについている。その一文の中に「意味のない詩を書くことによって、ポエジイの純粋は実験される。詩に意味を見ること、それは詩に文学のみを見ることにすぎない」ということが書かれてある。これはまたどういう意味だかよくわからないが、おそらく春山君は北園君の「オブジェー」詩のことを言っているのであろう。「意味のない詩」ということは「文学としての意味がない」ということであろう。また「装置」という北園君の意味は、もちろんジャコブのいう「芸術作品は『位置』づけられなければならない」ということであろう。すなわち詩の作品としての「オブジェー」を位置づけるということであろう。

さらにつけ加えて言わなければならないことは、私の言った「文学としての意味がない」ということは「文学としての意味づけがない」ということである。決してダダの詩のように文学としての意味をわざと混乱させるという意味ではない。「オブジェー」の詩をつくる作者は非個性的になるべく外面描写にとどまり、情念やモラルや人生観などすべて内面的なものは排除するのである。そういうことを春山君は「意味のない詩」と言ったのであろう。

(『日本の詩歌　25　北川冬彦・安西冬衛・北園克衛・春山行夫・竹中郁』)

五行目の「オブジェー」の詩というのは、造形美を志向した詩であり、ロマン主義における自我の主張や自然讃美を拒否した詩ということである。ダダの詩はさまざまな批判を志向した詩であって、後ろから四行目に「意味をわざと混乱させる」とあるが、そのことに意味というか思惑があるのである。

春山と北園は、同年齢で、西脇は八歳年上であった。春山は「詩と詩論」、北園は「ＶＯＵ」

を創刊、西脇は『超現実主義詩論』を刊行したことから、わが国のモダニズムの始祖的な先導者は、春山行夫、北園克衛、西脇順三郎であったといえよう。

近藤東は明治三七年、東京市京橋の生れで、岐阜中学から明治大学英法学部に進学し、卒業後は国鉄に入社した。詩誌「青騎士」「詩と詩論」の同人で、「詩法」では編集長であった。戦前から戦中にかけてモダニズム詩運動の中心で活動し、詩によって闘う姿勢をとりつづけた。国鉄で勤労詩運動を推進する。昭和五年、「改造」百号記念の懸賞に詩「**レエニン**の月夜」で応募し、北原白秋の選により一等で当選して、百円を得た。

レエニンの月夜

近藤東

橋カラノ下リ勾配。黄包車（ワンポツオ）ハ西瓜（スキクワ）ノ種ダ。西瓜ノ種ハ**コムニスト**デハナイ。

黄浦江ノ靄（モヤ）ハ拳銃ヲ乱射シタ。**ソヴィエエト**領事館ノ窓ガ無数ニ散ツテ光ツタ。空色ノ軍艦ガ水兵ヲ吐瀉（トシャ）シタ。陸戦隊。透明ナ哨兵（セウヘイ）ハ一着ノ黄合羽（エロワ・スリツカヤ）デアル。

僕ハ月夜ヲ感ジタ。月夜ヲ。**レエニン**ノ月夜ヲ。寝室（ベッド）ノ中デ。女ハ白系**ロシア**ノ食用薔薇（バラ）。女ハ機関車ノヤウニオシカカツテ来タ。ボクハ轢死スル。

★

――以下略――

（詩集『抒情詩娘』昭和七年）

虚構のストーリーにもかかわらず、臨場感があり、まさにモダニズムである。近藤は昭和二年に上海に赴いていて、そのときの印象が下地にある。一行目の「黄包車（ワンポツォ）」から舞台は中国であることが分かる。「黄包車」は「西瓜ノ種（スキクワ）」のように見えていて、もちろん、武装の「**コムニスト**」ではない。しかし、第二節で「**ソヴィエエト**領事館ノ窓」ガラスが散乱する。保守勢力の仕業のようだ。「軍艦」からは「陸戦隊」が出てきた。ホテルの窓から眺めていたこの出来事は、動乱のはじまりである。世界の列強が軍事的権益を争って危機感をつのらせていた大正末期の、フィクションの国際港上海である。詩人は亡命者として、「**レエニン**」が流謫の地で見た革命前夜の月も、こうであったであろう、と眺めつつ情事に耽っているのか、それを夢想していたのだ。革命はまだ先であることを暗示している。

近藤東

西脇順三郎は明治二七年、新潟県小千谷の生れで、画家を志して上京したが断念して、慶応大学予科から理財科（経済学部）へ進む。卒業後はジャパン・タイムズ社に入社するが、病気で退社。大正九年、慶応大学予科の教員となった。大正一一年にイギリスに渡り、翌年、オックスフォード大学ニュー・カレッジに入学した。留学中に英文詩集『Spectrum』を刊行。大正一四年に帰国、翌年から慶応大学文学科教授となる。昭和二年には日本で最初のシュルレアリスム系の詩誌「馥郁タル火夫ヨ」を創設した。昭和八年、日本語の第一詩集『Ambarvalia』を刊行する。わが国のモダニズム詩を理論的に主導した。

雨

西脇順三郎

南風は柔らかい女神をもたらした
青銅をぬらした　噴水をぬらした
ツバメの羽と黄金の毛をぬらした
潮をぬらし　砂をぬらし　魚をぬらした
静かに寺院と風呂場と劇場をぬらした
この静かな柔らかい女神の行列が
私の舌をぬらした

（詩集『Ambarvalia』昭和八年）

詩集の題名「Ambarvalia」は、ケーレスという古代羅馬人の女神を祭る儀式のことである。西脇が古代人の宗教に大きな詩的な憧れをもっていたことによる。書き出しの「南風」、次の行の「青銅」と「噴水」からギリシャが想起される。雨に濡れた明るい街の風景が立ち上がってくる。四行目の「魚をぬらした」には、諧謔がある。最後から二行目、雨を「女神の行列」とする暗喩は、抒情的である。最終行の「舌をぬらした」からは味覚が感じられるが、視覚と味覚の共感覚となり、ボードレールの照応による象徴主義の世界、コスモス的空間が立ち上がってくる。

旅人

西脇順三郎

汝カンシャクもちの旅人よ
汝の糞は流れて、ヒベルニヤの海
北海、アトランチス、地中海を汚した
汝は汝の村へ帰れ
郷里の崖を祝福せよ
その裸の土は汝の夜明だ
あけびの実は汝の霊魂の如く

夏中ぶら下がつてゐる

（詩集『Ambarvalia』昭和八年）

旅人はヨーロッパの旅に疲れ、苛立っている。二行目の「汝の糞」からは、遊学の成果は期待したほどではなかったことを示唆している。そこで想い出されたのは郷里の風景であった。その風土の探求を新たなテーマにしようとの決意がある。西脇は戦後に東洋的な抒情と思想を交えたモダニズムへと移っていった。

六―五　シュルレアリスムと西脇順三郎の超現実主義

シュルレアリスムは日本語では、超現実主義であるが、西脇順三郎はわが国独自の超現実主義を、前述した『超現実主義詩論』において提唱した。『超現実主義詩論』は主に文芸誌「三田文学」に掲載された評論「PROFANUS」「詩の消滅」「ESTHÉTIQUE FORAINE」「超自然主義」「超自然主義の価値」を一冊にまとめたものである。この超現実主義の理念と方法論は、昭和初期から戦後にかけて詩のモダニズムに大きな影響を及ぼした。他方、シュルレアリスムと西脇の超現実主義とは重なる部分もあるが、全体としては大きく異なっている。『超現実主義詩論』の論点をたどり、シュルレアリスムとどのように共通していて、違いは何かを明らかにする。まず荒地出版からの再版の序文で、次のように書いてあることに注目する。

実はボオドレルのいう、文学の二つの要素は超自然とイロニイであるという言葉を知っていたから、この詩論の題も「超自然」としたかったのだが、当時新造の言葉「超現実」という名称をその当時の編輯（へんしゅう）者が選んだのだ。

ボードレールと「超自然」をキーワードにもつ西脇の超現実主義とは、どういった目的をどのような方法で遂行することなのかをたどることにする。最初の評論は「PROFANUS」、題名はラテン語で「聖なるものを俗化する」（井上輝夫訳）というような意味である。この評論ではまず芸術についての西脇のドグマを書いている。

人間の存在の現実それ自身はつまらない。この根本的な偉大なつまらなさを感ずることが詩的動機である。詩とはつまらない現実を一種独特の興味（不思議な快感）をもって意識さす一つの方法である。俗にこれを芸術という。

人間の存在はそのままでは味気ないので、習慣や伝統から抜け出さなければならない。このための破壊は詩の建設であるという。次に詩の目的として大きく二つを挙げている。

西脇順三郎

第一は、原始時代において人間の思想や感情を「歌う形式」によって表現することであったとして、第二の目的については、自然界は人間の霊魂より比較的劣っているがために、事物の自然は人間の理智に満足を与えない多くの部分をもっているとして、この部分に対して、人間の理智に多少の満足の影を与えることである、とのことである。

そして超現実主義はどういった方法をとるかについて論じている。詩の正統な形式は、imagination により現実を一旦魂の吸収に適する様に変形して表現することである。この詩的変形方法は、二つに大別される。第一は、人間の感情の流れに調和する形態をとる。このカテゴリーのなかでは美感が主なるものである、という。この第一に挙げた方法は、人間の固有な感情の傾向に調和して現実を詩的に変形するものである、としている。これは古典主義からロマン主義までの抒情詩にあたる。そして第二は、第一と反対にこの固有の傾向に調和せずむしろその調和を破ろうとする変形方法である。この破壊の変形方法として、次の二つを挙げている。

第一、人間の常識及論理として有する意識の習慣を打ち破ること。これがためには聯想(れんそう)として最も遠い関係を有する概念を結合するのである。所謂(いわゆる) Bacon の「予期せざる」驚きを与えるとはこのことである。Rimbaud の「無意識」の表現法はこれである。現代の dadaistes や超自然主義者の詩にはあり余る程この方法が使われている。

——略——

第二、人間の伝統としての感情及び思想(通俗の美に対する感覚や道徳、倫理、論理を云う)を破り、若しくはこれを軽蔑し、皮肉に批判するのである。Baudelaire の詩はこの方法の代表的なものである。

第一の方法にまず「最も遠い関係を有する概念を結合する」とあるが、ブルトンはこの方法には同調できると、『シュルレアリスム宣言』で次のように論じている。

おなじころ、すくなくとも私におとらず退屈な男、ピエール・ルヴェルディが、こんなことを書いていた。

「イメージは精神の純粋な創造物である。

それは直喩から生れることはできず、多かれ少なかれたがいにへだたった二つの現実の接近から生れる。

接近する二つの現象の関係が遠く、しかも適切であればあるほど、イメージはいっそう強まり――いっそう感動の力と詩的現実性をもつようになるだろう……云々。」

これらの言葉は、門外漢には謎めいたものではあろうが、すこぶる啓示にとんでおり、私は長いことこれについて熟考をめぐらした。だがイメージは私からのがれさるばかりだった。ルヴェルディの美学、もっぱら後験的(ア・ポステリオリ)なものである美学が、私に結果を原因ととりちがえさせていたのである。そうこうするうちに、私は自分の観点をきっぱり放棄する羽目に立ちいたった。

すなわちある晩のこと、眠りにつくまえに、私は、一語としておきかえることができないほどはっきりと発音され、しかしなおあらゆる音声から切りはなされた、ひとつのかなり奇妙な文句を感じとったのである。その文句は、意識の認めるかぎりそのころ私のかかわりあっていたもろもろの出来事の痕跡をとどめることなく到来したもので、しつこく思われた文句、あえていえば、窓ガラスをたたくような文句であった。私はいそいでその概念をとらえ、先へすすもうという気になっていたとき、それの有機的な性格にひきつけられたのだった。じっさいこの文句におどろかされた。あいにくこんにちまで憶えてはいないけれども、なにか、「窓でふたつに切られた男がいる」といったような文句だった。（巖谷國士訳）

「これらの言葉は」からはじまる節の三行目の「後験的（ア・ポステリオリ）なものである美学」とは、美は経験のもとに認識するものということである。イメージは経験からの結果なのであろう。また、第一でRimbaudランボーの「無意識」の詩法を挙げているが、これはシュルレアリスムであり、dadaistesダダイストもということで、ダダイズムもふくまれている。第二は、従来の思想を破壊することから、ダダイズムであるが、Baudelaireボードレールのイロニーもこれにあたる。

「PROFANUS」の次に発表した評論は「ESTHÉTIQUE FORAINE」、この題名はフランス語で「香具師／どさ回りの美学」（井上輝夫訳）という意味であるが、芸術の専門家ではないスタンスからの提言ということであろう。まずI章において、意識の見地から芸術を、不純芸術と純粋芸術に分けて、伝統的芸術の不純芸術と超自然主義の純粋芸術の違いの根拠を、次のように論じている。

Ⅰ　批判の準備

――略――

一　芸術の関係する吾人の意識（ベヴストザイン）の世界の性質を分類する。

1　経験意識（エムビリシエス・ベヴストザイン）の世界

2　純粋意識（ライネス・ベヴストザイン）の世界

前者に属するものを不純芸術として後者に属するものを純粋芸術とす。前者は経験意識の世界を作る方法であり、後者は純粋意識の世界を作る方法である。

――略――

四　不純芸術は自己存在の経験意識の世界を作る。これに反して純粋芸術は経験意識の世界が拡大して遂に消滅したその瞬間の世界を作ることである。これは通俗な言葉で説明すれば、自己存在の意識がなくなった瞬間を作ることである。この状態に対して Baudelaire は神の如き崇高なる無感覚という様な意味の言葉を発している。又これは自己と宇宙の合体された喜びとし、或は神になった様な喜び、或はまた Poe の宇宙論及び Claudel 氏の詩論にあらわされているネオ・プラトニスムの喜びとす。

最終行の「ネオ・プラトニスム」は新プラトン主義と訳されるが、美に対するプラトン的な愛によって人間は神の領域に近づくことができるとする哲学である。ボードレールの象徴主義の詩法では照応、アレゴリー（寓意）、アナロジー（類推）、イロニー、比喩、暗喩、比較などをくりひろげることで、形而上学的イメージあるいはコスモス的イメージを出現させている。その中心的な方法は、事物や事象の組み合わせからの照応であるが、宇宙的な空間が立ち上がってくるのである。後ろから三行目の「自己と宇宙の合体された喜び」は、ボードレールの象徴主義であり、それは純粋芸術ということになる。

Ⅱ章では、純粋芸術は超自然主義であり、その起源は Baudelaire ボードレールであると論じている。

Ⅱ　純粋芸術のメカニズム
――略――

四　純粋芸術は超自然主義である。科学上の自然現象に反する意味でもなく。又人間の自然性に反するものでもない。ただ芸術上のメカニスムとして経験意識を超越することである。この超越により目的を果すためである。結局経験の世界若しくは実感の世界を破るというメカニスムを作ることである。Baudelaire の癖である倫理的概念の説明を以てすれば、自然なるものは野卑である。故に自然の世界即ち実感の世界に属するパッションは野卑である。この自然なるものに反対した概念を Baudelaire は人工的と称す。――略――近来超現実主義の芸術が主要なるタイプになって来たことは Baudelaire 以後の当然の発達である。超現実主義も超自然主義も同じもので芸術の古典的な歴史を持っている。

超自然主義イコール超現実主義である。その起源はボードレールの象徴主義ということになる。そして評論「超自然主義」において、ポエジーの価値論のなかで現実主義と超現実主義の違いの根拠は、経験にもとづいているかどうかである、と論じている。

ポエジーの価値を批判する立場に二つの全く相反する立場を設けその一つを現実主義（或は自然主義或は経験主義）と他は超現実主義（或は超自然主義或は超経験主義）とす。

現実主義は自然主義、超現実主義は超自然主義ということである。ここでの自然主義とは、よく知られているありのままを描こうとするものではなく、経験したことを表現するということである。現実的芸術を創作するのが、自然主義であるとして、論述はさらに進む。芸術の価値判断は、何を表現対象にするかによる。その対象が現実の経験に関係するとき、現実的芸術としての価値が生じる。現実的芸術は次のように種別されるとしている。

現実の世界とは人間の知覚及感覚作用によるあらゆる心理的経験の世界をいう。この経験の世界を表現の対象として有する作品は現実的芸術という。現実的芸術の種類を大別すれば、

A　一般的に古典主義、ロマン主義、自然の多くのものは現実的である。

B　印象主義。印象は一つの経験であるが故に現実的である。

——略——

F　夢又は無意識を表現する詩は現実である。即ち夢は人間の経験である。無意識は無意識の経験である。所謂スュルレアリスムの詩の多くは故にその名称に反して現実

である。

——略——

J　サンボリスム。（Mallarmé の或る詩は含まず）この主義の内面価値は自然主義にすぎない。併し表現の方法はメタフォルを用いたるものにして一種の印象主義である。

K　ノオマルの神経系統を有する頭脳には不自然であってもアブノオマルの人には自然であり得るものであるから、例えば狂人や幼年者の作った詩は不自然なものがあるが然し実際は彼等の自然な経験である。狂人や幼年者の作品は一見超自然芸術の価値を有するものであるけれども実際は彼等にとっては自然の経験を表現したものに過ぎないから矢張り自然的価値を有するに過ぎない。童謡や狂人手記は超自然ポエジイとしての価値を有せざるものである。故にすべての脳髄的経験の世界を対象としている作品は自然主義である。エクスプレシオニズムも知覚派も新感覚派もスュルレアリスム（悪い作品の部分）も自然主義と共に本質的には自然主義である。

これに反して超自然主義とは実際上の経験と異なった換言すれば経験に関係のないものを表現の対象とした場合である。故に超自然主義とは自然主義と全然正反対の原則を有するものである。

Fに「夢又は無意識を表現する詩は現実」としていることからは、超自然主義の超現実主義は、ブルトン系のシュルレアリスムとはずれがあるといえるが、ブルトン系の作品なかには、その奇抜さから、この超現実主義のものもある。要するに超現実主義は西脇ドグマのモダニズムを推進する方策なのである。さらにこの評論では、偉大なると称された評論家の多くが自然主義の立場に立っているとし、その中の一人Aristotelesアリストテレスは、「詩人の任務は蓋然性(がいぜん)又は必然性の法則により可能であることを記述することである」と考えていたが、超自然主義では反対に「有リソウモ無イ」ことを表現すべきである、と提言している。これはシュルレアリスムの表現方法でもある。超自然主義では、「ありそうもなき可能性」なることを表現すべきとしている。現実にはありそうもないが、不可能なことではないということである。

昭和二五年の評論「私の詩作について」では、自らの詩法を、次のように書いている。

自分の理想とする詩は何物も象徴することをやめた詩でありたい。それは絵画的であって、そのimageそのものを単にみて何物かを感じたい詩がほしい。そういうimageをつくるのが詩の内容である。

そのimageはわれわれを神秘的にひきつけるのである。それは詩の美ということにする。詩の作品はimageそれ自身に終るのである。

そうしたimageの構成は一つの関係を描いている。即ち二つのものの関係を違った関係に置き換えるのである。即ち遠い関係を近い関係にし近い関係を遠い関係にする。詩はそうした新しい関係を含むimageをつくることがその目的である。その新しい関係を詩的美であると考えたい。

この理論はシュルレアリストの理論であるが、彼らのつくる作品はほとんど皆グロテスクそのものであって、自分はそのグロテスクをかくしたいと思う。それにはマラルメ的なものが非常に役に立つ。

後ろから五行目の「新しい関係を含むimage」は、コラージュやデペイズマンだけでなくボードレールの照応などが生成するイメージもはいるといえる。西脇順三郎の超現実主義は、シュルレアリスムの他に、ボードレールの象徴主義、ダダイズムなどもふくんでいる。主知主義が台頭する前のモダニズム全般なのである。

超自然主義としての超現実主義の西脇順三郎に対して、ブルトン系のシュルレアリスムの代表的な存在は瀧口修造であった。瀧口修造は明治三六年、富山市生れで、慶応大学文学部英文科を卒業した。昭和五年にはアンドレ・ブルトンの「超現実主義と絵画」を翻訳した。わが国における本格的なシュルレアリスムの最初の評論であった。シュルレアリスムの権威として美術批評でも知られるようになるが、戦前のシュルレアリスムの代表的な詩人である。昭和一六年には、前衛思想が危険視され、治安維持法違反容疑で逮捕され八ヶ月拘留された。昭和三三年、国際美術展覧会であるヴェネチア・ビエンナーレに日本代表でイタリアに渡り、ダリ、M・デュシャン、ブルトンに会う。戦後は若い前衛的な詩人、美術家、音楽家などと「実験工房」を結成、前衛的な現代美術の発展に貢献する。

瀧口修造

ランプの中の噴水、噴水の中の仔牛、仔牛の中の蝋燭（ろふそく）、
蝋燭の中の噴水、噴水の中のランプ

私は寝床の中で奇妙な昆虫の軌道を追つてゐた
そして瞼の近くで深い記憶の淵に落ちてゐた
忘れ難い顔のやうな
真珠母（しんじゆぼ）の地獄の中へ
私は手をかざしさえすればよい
地下には澄んだ水が流れてゐる
卵形の車輪は
遠い森の紫小筐（こばこ）に眠つてゐた
夢は小石の中に隠れた

（詩集『妖精の距離』昭和一二年）

瀧口修造

煌めくものの組合せではじまるが、仔牛は影としてあらわれ、再び煌めくものの組合せで第一連は終わる。シャガールの世界を想い起こさせられる。一行目の「噴水」「仔牛」「蝋燭」

は、リアルな事物や動物ではなく、図案化あるいは劇画化されている。非現実で意味が分かりかねる内容から、自動記述で書かれたといえそうだ。最後から二行目の「遠い森」からは原初の自然への憧憬が感じられる。

六―六　戦争期のモダニズム

大正一二年、アナーキズム系の詩誌「赤と黒」が、萩原恭次郎により創刊され、ダダイズム的な破壊と創造を志向したが、翌年には終刊となった。戦争の時代といえる昭和期にはいり、昭和五年三月に秋山清、小野十三郎、岡本潤らはアナーキズム系の「弾道」を創刊した。昭和八年四月に終刊した後、昭和一〇年三月に「詩行動」を創刊して、「現実をして語らせる」という方法にたどりついたが、昭和一〇年一一月の無政府共産党事件で「詩行動」の同人が検挙されたことにより終刊に追いやられた。

金子光晴

金子光晴は明治二八年、愛知県海東郡の生れで、早稲田大学予科、東京美術学校、慶応大学予科を中退、大正八年から数度にわたり海外を放浪した。盧溝橋事件を発端に日中戦争が勃発した昭和一二年、反戦詩集『鮫』を刊行した。戦時中に疎開先の山中湖で書いた詩を、昭和二三年に詩集『落下傘』で刊行する。

落下傘

金子光晴

ながい外国放浪の旅の途次、はるかにことよせて、望郷詩一篇。

一

落下傘がひらく。
じゆつなげに、

旋花(ひるがほ)のやうに、しをれもつれて。
青天にひとり泛(うか)びたゞよふ
なんといふこの淋しさだ。
雹(ひょう)や
雷の
かたまる雲。

月や虹の映る天体を
ながれるパラソルの

なんといふたよりなさだ。
だが、どこへゆくのだ。
どこへゆきつくのだ。

おちこんでゆくこの速さは
なにごとだ。
なんのあやまちだ。

二

この足の下にあるのはどこだ。
……わたしの祖国！

さいはひなるかな。わたしはあそこで生れた。
戦捷の国。
父祖のむかしから
女たちの貞淑な国。

もみや殻や、魚（うを）の骨。
ひもじいときにも微笑（ほゝゑ）む
躾（しつけ）。
さむいなりふり
有情（あはれ）な風物。

——略——

（『中央公論』昭和一三年）

第一連の二行目の「じゆつなげ」は、仕方ないであり、他にあてがないということだ。目的もなく降下している。放浪から定住へ向かおうとしている心境の揺れが語られている。第二連の四行目の「戦捷」は、戦いに勝つことであるが、そこから二行目の「女たちの貞淑な国」からは、封建的な国ということになる。検閲を逃れるために望郷でカモフラージュしながら、貧困を美化しようとするファシズムへの抗議が、巧妙なイロニーで提言されている。

小野十三郎は明治三六年、大阪市南区の生れで、大正一二年、アナーキズム系の詩誌「赤と黒」に参加し、萩原恭次郎、壺井繁治、岡本潤らのアナーキスト詩人を知った。大正一五年に第一詩集『半分開いた窓』を刊行した。昭和五年に秋山清、岡本潤らと「弾道」を創刊した。昭和一〇年、東洋大学専門学部文化学科に入学するが、無政府共産党事件でシンパとして疑われ検挙されたため、八ヵ月で中退した。昭和一四年に第三詩集『大阪』、昭和一八年に第四詩集『風景詩抄』を刊行する。戦後は、大阪文学学校を昭和二九年に創設し、平成三年まで校長を務めた。

「詩についての自伝的考察」のサブタイトルの付いた自伝『奇妙な本棚』に、サンドバーグの『シカゴ詩集』に詩法上の示唆をうけたことを書いている。

カール・サンドバアグの詩の魅力も、彼があれほどシカゴという大都会、大工業都市の生態を歌いながら、そこにアメリカ中西部の大平原に生きている人間の野生的なエネルギーが入りまじり反映しているところにある。

大都会と大平原の自然とのコントラストを背景に、大自然に育まれた人間性の詩情（ポエジー）が創り出されていたのである。

葦の地方

小野十三郎

遠方に
波の音がする。
末枯（うらがれ）はじめた大葦原の上に

高圧線の孤が大きくたるんでゐる。
地平には
重油タンク。
寒い透きとほる晩秋の陽の中を
ユーファウシャのやうなとうすみ蜻蛉が風に流され
硫安や　曹達や、
電気や　鋼鉄の原で
ノヂギクの一むらがちぢれあがり
絶滅する

（詩集『風景詩抄』昭和一八年）

この詩のモチーフは、戦争が迫っている無機質的な感情であると、『奇妙な本棚』に書いている。

この詩のできた日のことをよくおぼえている。前に揚げた事件で四十日の豚箱ぐらしをして出てきてまもないころであった。詩では、季節は晩秋ということになっているが、それはなにか必然的な力によって記憶を呼びさまされたからであって、実際に書いたのは、昭和十四年の元旦の朝であった。まずは書きぞめというところである。わたしの詩の方法は、この作品を転機として改まり、主情的な要素が抑えられて、以後もはやそれは「歌」ではなくなってしまう。日支事変勃発、国民精神総動員法が発令されたのが十二年七月、翌十三年はさらに国民総動員法である。制作年月を、いまだにおぼえているただ一つの詩であるわたしのこの詩が、寒い透きとおる晩秋の太陽の光そのものの記憶よりも、そのときの実感において、もはや不可抗力となった。

一行目の「前に揚げた事件」については、次のように書いてある。

「貧時交」が出たのは、昭和一三年、植村諦や二見敏雄を中心とする異色共産党のテロ事件が挙げられたころで、わたしもそれに関係あるものと見なされ、四十日あまり豚箱に投げこまれた。

「異色共産党のテロ事件」は、昭和一三年ではなく昭和一〇年に無政府共産党が、東京市豊島区の高田農商銀行（後の東都銀行）を襲撃した事件である。無政府共産党とは日本共産党とはまったく関係ない団体であった。この事件は戦前のアナーキズム活動の終息につながったとされている。小野は日本無政府共産党のシンパとして大阪府警察阿倍野警察署に拘束されたのだった。三行目に「実際に書いたのは、昭和十四年の元旦の朝」とあるが、それは勘違いで、昭和一二年の盧溝橋事件からはじまった日中戦争前年の昭和一一年の元旦であろう。この詩は、戦時体制が強められてゆく情勢に呼応した風景詩でもある。

工業地帯化する自然の風景のもつ淋しさが凝縮されている。最後から五行目の「ユーファウシャ euphausia」は甲殻類のオキアミのことで、「とうすみ蜻蛉」はイトトンボの別名であることを知ると、幻惑的の光景へと変幻する。無機質な風景に生命感が割り込んできたといえる。こんな風景にも詩的な美を感じないこともないが、最終行の「絶滅する」との断定は、それに妥協してはならないという将来への警告である。社会批判をテーマにしていることからは、社会主義リアリズムからモダニズムへの過渡期的な詩といえる。

モダニズムの主流を引き継いでいた詩誌「詩法」は昭和一〇年九月に終刊、つづいて饒（じょう）正太郎を中心に若手のモダニズム系詩人が集まっていた詩誌「20世紀」が翌年一二月に終刊となった。これら二つの詩誌の詩人たちが合流して、昭和一二年五月に詩誌「新領土」を創刊した。編集は春山行夫、近藤東、村野四郎の三人によることになった。創刊号の「後記」の冒頭に、饒正太郎は誌名について、次のように書いている。

「新領土」といふ名の意味は、土地を奪ふといふ意味ではなく、新しく開拓するといふ意味で、その點ナショナリズムではなく、極めて國際主義を標榜してゐる譯です。

この年の七月に盧溝橋事件が起き日中戦争に突入したことから、「土地を奪ふといふ意味ではなく」とわざわざことわっている。

小野十三郎

エリオットの勧める出版社（『クライティリオン』誌を発行しているフェイバー&フェイバー）から、昭和五年九月、W・H・オーデンが『Poems（詩集）』を刊行した。この『Poems』がオーデン・グループの詩法となり、昭和一一年ごろには、このグループがニュー・カントリー派とみなされるようになった。「新領土」は、オーデン・グループのニュー・カントリー派に由来していた。「新しく開拓する」とは、社会主義的な社会をきり拓くことであった。

戦前の詩におけるモダニズムの活動は、「詩と詩論」にはじまり、「新領土」の第七巻四八号、昭和一六年五月号をもって終わった。「新領土」は戦争を美化せず国際主義標榜のスタンスをとりつづけたが、ここで育った詩法は、戦後になって鮎川信夫、田村隆一、黒田三郎、北村太郎、中桐雅夫らへ引き継がれた。

戦局が敗戦に向かっていたとき、詩誌の合併・統合が政府機関によって進められ、昭和一九年には総合誌としての「詩研究」、育成誌としての「日本詩」だけとなり、戦争詩は愛国詩へと推移した。両誌とも終戦翌年の昭和二一年に終刊した。

鮎川信夫は従軍体験を題材にして「病院船日誌」という詩編を密かに書き、戦後に文芸誌「詩と詩論　第一集」に発表した。詩「サイゴンにて」は「病院船日誌」全六編のうちの一編である。

サイゴンにて

鮎川信夫

埠頭に人かげはなく
ぼくらの船を迎えるものはなかった

夢にみたフランスの街が
東洋の名もない植民地の海にうかび
カミソリ自殺をとげた若い軍属の
白布につつまれた屍体が
ゆらゆらとハッチから担ぎ出されてゆく
これがぼくらのサイゴンだった
フランスの悩みは
かれら民衆の悩みだったが
ぼくら兵士の苦しみは
ぼくら祖国の苦しみだったろうか
三色旗をつけた巨船のうえにあるものは
戦いにやぶれた国の
かぎりなく澄んだ青空であった
多くの友が死に
さらに多くの友が死んでゆくとき
生あるものの皮膚の下を
いかにして黒い蛆虫が這いずってゆくかを
病める兵士たちは

声なくして新しい死者と語りあった
あかるい微風のなかに
若い魂を解放したカミソリの刃を
ぼくらの細い咽喉にあてたまま
担架をのせた小舟は
みどりの波をわけてゆっくり遠ざかっていった

（詩誌「詩と詩論　第一集」昭和二八年）

この詩は、終戦の半年前である昭和二〇年二月末から三月はじめにかけて傷痍軍人療養所病棟に入院していたとき、こっそりと書かれた。九行目の「フランスの悩み」は、戦争に突入してしまった失望である。一三行目の「三色旗」は、フランスの国旗であるが、それに新鮮な風景を感じたのである。次の行の「戦いにやぶれた国」は、日本軍がサイゴンに進軍したときのことであるので、フランスである。その次の行での「かぎりなく澄んだ青空」は、ひと時の平和の安堵感を表象している。戦場の悲惨さを描写することはなく、戦地であるサイゴンでの、自殺した若い軍属の屍体が運ばれてゆく情景であるが、戦争の理不尽さに耐えかねてのことかもしれない。最後から八行目の「黒い蛆虫が這いずってゆく」は、戦争の理不尽さのアナロジーである。最後から三行目の「ぼくらの細い咽喉にあてたまま」は、これからどうなるのか分からない戦争への恐怖への暗喩である。情景を中心としたロマン主義的な詩であるが、すでに戦後の「荒地」グループの作風の特徴となる、感情、感懐や洞察の暗喩表現が行われている。

《参考文献》

奥野健男：日本文学史、中央公論新社、一九七〇

吉田精一：現代日本文学史、桜楓社、一九八〇

吉田精一・他・編：日本近代文学大系　第52巻　明治大正譯詩集、角川書店、一九七一

赤塚行雄：『新体詩抄』前後、學藝書林、一九九一

国木田独歩：武蔵野・牛肉と馬鈴薯、旺文社、一九六五

中野嘉一：モダニズム詩の時代、宝文館出版、一九八六

野間宏・編：日本の詩歌　20　中野重治・小野十三郎・高橋新吉・山之口貘、中央公論社、一九七五

小海永二、村野四郎・編：日本の詩歌　25　北川冬彦・安西冬衛・北園克衛・春山行夫・竹中郁、中央公論社、一九七五

吉田精一、村野四郎・編：日本の詩歌　12　木下杢太郎・日夏耿之介・野口米次郎・西脇順三郎、中央公論社、一九七六

西脇順三郎：ボードレールと私、講談社、二〇〇五

アンドレ・ブルトン／巖谷國士・訳：シュルレアリスム宣言・溶ける魚、岩波書店、一九九二

中井晨：荒野へ　鮎川信夫と『新領土』、春風社、二〇〇七
大岡信：現代詩人論、講談社、二〇〇一
小野十三郎：奇妙な本棚　詩についての自伝的考察、立風書房、一九七四
茂原輝史・編：國文學　現代詩をどう読むか、學燈社、一九七九
鮎川信夫：鮎川信夫詩集、思潮社、一九六八

七　モダニズムの戦後詩

七―一　戦後詩の背景

戦後の戦争への反省を表白するとともに、近代思想や近代化の批判をくりひろげるヨーロッパ流のモダニズムを志向した詩が、戦後詩と呼ばれている。戦後ということだけではない戦後詩は、わが国固有の現代詩となってゆく。

戦後詩の背景には何があったのか。モダニズムが文化芸術運動として台頭するきっかけは、ダダイズムであった。それは文化芸術運動でありながら、思想や政治と深く係わったものであった。しかしながら、わが国における戦前のモダニズムは、芸術至上主義的で、また日本的な抒情が加わっていたことから、モダニズム詩は戦争の抵抗勢力となりえなかった。ダダイズムに傾倒していたプロレタリア詩も、戦意高揚の波に呑みこまれてしまった。さらに開戦期に詩人が戦争に加担する側に回ってしまったのだ。金子光晴は別として著名な詩人は、ことごとく戦争に賛同する詩を書いてしまった。小野十三郎などのプロレタリア系と近藤東などのモダニズム系の、一部の詩人は戦前には反ファシズムの詩を書いてはいたものの、開戦が近づくにつれて検閲が厳しくなり政権に同調せざるを得なかった。反戦や反ファシズムの詩がアンダーグラウンドに終わってしまった背景を、吉本隆明は構造的に論考している。それは、戦争推進に向って生産が拡大されるなかで、詩人は居場所にしていた不定職インテリゲンチャのポストを失い、体制側にとり込まれていったという。それでは、詩人がそうなる前に、民衆が国威発揚に向かってしまったというか、向かわされてしまったのは何故か、を考えなくてはならない。

革命とは支配階級を打ち倒すことであるが、明治維新とは、支配階級が封建制度を崩壊させ、民主的な制度を樹立した改革であった。民衆は間接的に参加しただけの革命であったことから、厳密には革命とはいえない革命である。そのため民衆という意識が、自由と平等に根ざしたものではなかった。戦前の民衆は、国家の政策にとり込まれやすい封建的な意識から目覚めていなかったのである。昭和一五年に神戸で一四人の詩人が左翼文化人として拘禁された、この神戸詩人事件からも知ることができるが、マイナーな詩人につ いては反ファシズム的なスタンスを貫いた詩人もいた。他方、メジャーな詩人はことごとく政権側に回った。それには詩人側にも、民主主義を志向した民衆意識の欠如があったことが、大きく作用していた。ゴッホは絵画「馬鈴薯を食べる人々」などからも分かるように、民衆の側に立った労働の美学を描き出している。また、ピカソの絵画「ゲルニカ」は反戦を象徴したものであることは有名である。二人ともフランス人ではなかったが、革命の精神が宿っていたのだ。

戦争を讃美してしまった詩人としてまず挙げられるのが高村光太郎である。高村の自我とは、民主主義をベースにしたものでなく、超越的なものとの一体化であったために、それを戦争に求めてしまったのである。とりわけメジャーな詩人が、ことごとく戦争支持に回ってしまったのは、詩人独自のスタンスがなく、国にというより、国威発揚を洗脳された民衆に迎合してしまったためであったといえる。詩人が戦争に歯止めをかけるはたらきをすることなく、逆に加担してしまった反省を表明するとともに、社会と人びとの啓蒙を推し進める詩を目ざしたことから、戦後詩という文学ははじまった。

七―二　戦後期の詩グループの興亡

「荒地」「列島」とその他の有力な詩誌の発足と消滅を年代順にたどることにする。終戦の昭和二〇年（この七―二では以降、年号・昭和を略す）いち早く創刊にいたった詩誌は、北九州での岡田芳彦、小田雅彦らによる「FOU」（当初は「鵬」であった）であった。東京は壊滅状態で地方都市の方が、印刷事情が良好であったためといえる。翌年は北園克衛の「近代詩苑」、平林敏彦の「新詩派」、秋谷豊、福田律郎、小野連司らの「純粋詩」、金子光晴、小野十三郎、秋山清、岡本潤らの「コスモス」と、次々に創刊となった。この時点でのもっとも注目すべき詩誌は「純粋詩」であった。というのは、戦後詩の特徴を打ち出しただけでなく、後の「荒地」「列島」「地球」などの詩運動の母体となったからだ。誌名の「純粋詩」は、ポール・ヴァレリーの「ポエジー・ピュール」からとったと編集後記にある。純粋詩とは芸術のための詩ということであり、フランス象徴詩の移植と克服を目ざしていた。「純粋詩」には後から鮎川信夫、北村太郎、三好豊一郎、田村隆一も加わった。詩誌の内容は変遷することになる。一一号以降、秋谷は詩誌「ゆうとぴあ」編集のために去った。そして二二年九月の「荒地」の復刊とともに、鮎川信夫、北村太郎、三好豊一郎、田村隆一も「純粋詩」を離れた。象徴詩という枠が煩わしくなったのである。いれ代わるように、井手則雄、関根弘が加わり、ここで詩誌の内容は社会主義的なものとなっていった。二三年に「純粋詩」は「造形文学」に改名した。

　モダニズム系の「近代詩苑」は三号で終刊となり、二一年に「ＶＯＵ」に引き継がれる。そして「ＶＯＵ」は二三年に「cendre（サンドル）」に改名され、西脇順三郎、村野四郎、北村太郎、白石かずこなどが新たに加わった。「cendre」は第六・七合併号を出して終刊となり、二四年に誌名は「ＶＯＵ」に戻った。二二年六月に緒方昇、小野十三郎、高見順らによる「日本未来派」が創刊されたが、抒情派からモダニズム派、プロレタリア派までの混沌とした集団であった。

　二二年七月には戦前から有力誌であった「歴程」が復刊した。草野心平が復員船で中国から帰還したことによる復刊であった。二七年における同人としては、安西均、伊藤信吉、井上靖、串田孫一、北畠八穂、那珂太郎、小野十三郎、尾崎喜八、高橋新吉、辻まこと、鳥見迅彦、谷川俊太郎、山本太郎、山之口貘などがいた。二二年九月、田村隆一の編集による「荒地」の創刊号が出た。この後、黒田三郎、北村太郎が編集を引き継いだ。同人は鮎川信夫、田村隆一、黒田三郎、北村太郎、中桐雅夫、三好豊一郎、木原孝一などである。その後、吉本隆明、高野喜久雄、中江俊夫などが加わった。創刊号から二号は岩谷書店、三号から六号までが東京書店で発行した。終刊は二三年六月で、通巻六冊であった。これは第二次のもので、「荒地」は、鮎川信夫、竹内幹郎、森川義信を同人として一四年四月から翌一五年五月まで詩誌全五冊を発行していたことから復刊なのである。誌名は、T・S・エリオットの詩「荒地」からとったものである。第二次の詩誌「荒地」は通刊六冊で終刊後、二六年から三三年までに年刊アンソロジー『荒地詩集』を全八冊刊行し、別冊として『詩と詩論』二冊と『荒地詩選』一冊を刊行した。

二三年一〇月から休刊していた「コスモス」が、二四年一二月に復刊となった。安東次男、小暮真人などを加えての再出発であった。「荒地」が戦争期は無名であった若い詩人の集まりであったのにたいして、「コスモス」は金子光晴、小野十三郎、秋山清、岡本潤などのアナーキズム、社会主義系の既に名の知れわたっている詩人が立ち上げた詩誌で、「現代詩の社会性と芸術性」を主題に掲げていた。この詩誌は戦争責任の追及を第一にとりあげていた。その追及は充分な成果をあげることなく終わり、戦後の詩に指針を示すようなこともできなかった。しかしながら創刊号に詩「大海辺」を載せた小野十三郎は、詩作と詩論を通してプロレタリア詩の可能性をきり拓いた。

秋谷豊は二五年に「ネオ・ロマンチシズム」を掲げて「地球」を創刊し、「四季」派などの戦前からの抒情詩の作風を引き継ぐとともに、そこに社会の矛盾との対決をふくませることを推進した。次々に同人をふやし、安西均、磯村英樹、小野連司、唐川富夫、新川和江、財部鳥子、高田敏子などが同人にいた。

「列島」は二七年三月に創刊となった。その経緯についてであるが、北九州の「FOU」は、三池在住の出海渓也の「Pionner」と合併して「芸術前衛」となって、東京に進出した。そしてプロレタリア詩のリアリズムを刷新するために、「芸術前衛」と「造形文学」の中心メンバーが幾度と会合して、その他の詩誌もふくめた合併にこぎつけ、「列島」が発足した。詩壇をリードしていた「荒地」に対抗する狙いもあった。「列島」は三〇年三月に終刊となったが、その半年ほど前の二九年七月に長谷川龍生が編集長となった「現代詩」が創刊となり、「列島」の詩運動は引き継がれた。しかしながら、いろいろな流派の詩人が加わるにつれてプロレタリア系とそうでない詩人たちの間で軋轢が生じはじめ、三九年に終刊した。

二八年には「詩学」研究会が母胎となり、茨木のり子、川崎洋が中心となって、「櫂」が創設され、やがて谷川俊太郎、吉野弘、中江俊夫、大岡信、岸田衿子などが加わった。特定の詩法や思想をベースにすることはせず、「荒地」の心情的な観念を拒否した新たな戦後詩を目ざした集まりであった。

二九年には平林敏彦、中島可一郎、飯島耕一らによって「今日」が創刊となった。後から清岡卓行、岩田宏、大岡信、岸田衿子、多田智満子、田中清光、辻井喬、長谷川龍生、吉岡実、入沢康夫、吉野弘などが加わり、詩壇のすう勢に主導的な役割を果たす。創刊号に掲載されたエッセイ「この共和国」で、次のような「荒地」批判を主張している。

われわれは戦後の新しい詩人たちが社会的現実にクサビを打ち込み、詩に思想性を

> 回復させたことを知っているが、同時に、彼らの仕事が現代は荒地であるという世界同時性の不安を敏感に伝達したことよりも、彼らの伝達があくまでも無人境の状況に限られたことに注意したい。ここで彼らの自我と状況の切点が空虚な心象でしか求められていない。——略——

三行目の「無人境」とは、経済発展してゆく社会には呼応していないスタンスということであろう。この後で「新しいリアリティを支える新しいリアリズムの発見」を目ざしている、と表明している。「荒地」の悲観の詩情（ポエジー）が、戦後一〇年の歳月とともに発展的な詩情（ポエジー）へと変化しはじめたといえる。このグループはさまざまな流派のサロン的な集まりであったことや三一年から発刊となった商業誌『ユリイカ』との競合から活力を失い、三三年に終刊となった。三四年八月、大岡信のほか、吉岡実、清岡卓行、飯島耕一、岩田宏の五人が、「鰐（わに）」を創刊するにいたり、戦後からのシュルレアリスムを止揚するとり組みが引き継がれた。そのことは、第六号に掲載された大岡信のエッセイ「疑問符を存在させる試み」から知ることができる。

> ぼくらは恐怖にもとづく均衡の上に生きている。恐怖を飼いならすためにぼくらはひとつでも多くの事件、ひとつでも多くの他人の意見に眼を開き耳を開きながら、同時に、それらすべてを最終的には信じまいとする奇妙な習性、むしろ平衡感覚を育てつつある。開かれて、同時に、開かされている存在——ここでは視覚はかつてないほど敏感になり、同時に無意識がいたるところに氾濫する。すべてが表面に溢れ出よう

としてせめぎ合い、しかもその表面は、すべてに見分けがつかないほど深層的なものに覆われている。

この内容はシュルレアリスムを志向する宣言となっている。現代の競争社会では現実に目をそむけ無意識のうちにディフェンシブなスタンスをとりがちになる。そこで深層的な意識を可視化するシュルレアリスムが意味をもってくるということだ。三七年九月に「鰐」は終刊した。文化芸術と社会情勢の潮流に対応しながら、いろいろな詩グループが発足し消滅していったが、いずれの時期も、社会に正しい影響をあたえる詩を築いてゆこうとする熱意に溢れていたといえる。

七―三　「荒地」と「列島」について

終戦後の約一〇年間における詩活動が何を目ざしどこまで達成できたかについては、「荒地」と「列島」の活動実績から知ることができるとされてきたが、実態を見直してみることにする。どちらのグループも、戦前の詩が社会的に無力であったことの反省を踏まえ、どういったテーマをどういう手法で詩に仕立てるかを追求した。ここでモダニズムとは何かということに立ち戻ると、それは二〇世紀初頭に起こった抽象主義、フォルマリズム、ダダイズム、シュルレアリスム、新即物主義、イマジズム、主知主義などの前衛的方法を総称したものである。シュルレアリスムは日本語では超現実主義であるが、無意識や深層心理の領域を表現することである。他方、西脇順三郎が提唱した超現実主義は、わが国独自のモダニズムの方法論であり、ボードレールの象徴主義からダダイズム、シュルレアリスムまでこのなかにふくまれているのであるが、シュルレアリスムよりも意図的にテーマ性を追求している。戦後詩においてのこの超現実主義は、主知主義のなかにとり込まれていったといえる。

戦後の「荒地」も、伝統的な詩法からの脱却と社会批判を志向したモダニズム系の詩人のグループであったが、戦前のモダニズムが国民的な好戦気運への歯止めとしてははたらかなかった事実を踏まえて、経験にもとづく共通の時代意識である反省と厭世観の詩情（ポエジー）を推し進めた。さらに戦争による物質的だけでなく精神的な荒廃を暗喩などにより映像化（ビジュアル）し克服することにとり組んだ。

「荒地」に対抗して創設された「列島」は、プロレタリア系の詩人のグループであった。社会主義リアリズムやダダイズムに傾倒したプロレタリア詩も戦争への猛進をせき止めることはできなかった。この事実を検証し、モダニズムを導入した新しい詩法をきり拓くとともに、社会体制の矛盾や封建的な意識の暴露を図った。「荒地」「列島」がともにとり組んだモダニズムとは、シュルレアリスム、超自然主義としての超現実主義、主知主義であったといえる。

どちらの詩グループも、現在伝わっている名声ほどは、次世代をきり拓いたといえるほどの詩は極めて少なく、むしろ詩論について先鋭的な評論やエッセイが掲載されていた。「荒地」では詩誌からアンソロジー『荒地詩集』となってから後世に残るレベルの名詩が掲載されるようになった。「列島」も同じように終刊してから、各詩人が出した詩集においてそのようなレベルが達成された。「荒地」や「列島」の詩誌活動およびそれ以前の「純粋詩」や「コスモス」の活動は、テーマや詩法の模索の段階であったといえる。

「荒地」の代表的な詩人には、鮎川信夫、田村隆一、黒田三郎、北村太郎、中桐雅夫、三好豊一郎など知名度の高い詩人が揃っていたのに対し、「列島」の代表的な詩人は、野間宏、関根弘、安東次男、木島始、長谷川龍生、黒田喜夫などであった。野間宏は詩人としてより小説家として知られている。令和元年まで生き活躍していた長谷川は、主知主義を代表する詩人であるが、主知主義を代表する詩人であるが、総じて「荒地」の詩人の方が今日まで名が知れわたっている。鮎川は戦前から反ファシズムの詩を書き戦後では詩論も高く評価され、田村はエッセイ・翻訳も多数あり、黒田三郎は詩人会議運営委員長を務めるなど、「荒地」の方が大きな足跡を残した。

「荒地」「列島」ともに詩誌が終刊した後に、前述した目標を達成するにいたった。「荒地」の詩人は、モダニズムに経験を加えさらに現実との結びつきを掘り下げることで、厭世観とそこからの再生をイメージ化し、芸術性をも実現した。それに対して「列島」の詩人は、リアリズムにアレゴリーなどを交えることで、社会批判や人間疎外のイロニーに芸術性を加え、さらに未来への警鐘を推し進めた。ともに社会性、時代性、思想性と芸術性との両立を図った。なぜ芸術性が求められたのか、芸術と、戦争あるいは国家主義とは相反しているからであり、芸術性が高ければ、好戦的な志向への邁進や国家主義への迎合は打ち消されることになるからである。

七―四　エリオットの詩「荒地」からのリスタート

戦後いち早く新しい詩法と思想を提唱したのが、エリオットの詩「荒地」の影響を強く受けた「荒地」グループであったが、その理論的な主導をしたのが鮎川信夫であった。鮎川信夫は大正九年、東京市小石川に生れた。昭和一三年一一月には森川義信らと第一次詩誌「荒地」を創刊し、翌年三月から二年間に六冊を刊行した。昭和一五年に早稲田大学に入学した。在学中に詩誌「新領土」に参加した。軍事教練の出席時間不足で卒業を認められず昭和一七年、中退する。その年に徴兵されたが、昭和一九年に傷病兵となって帰還した。昭和二二年に田村隆一らと詩誌「荒地」を創刊する。昭和三八年に『橋上の人』を刊行する。

繋船(けいせん)ホテルの朝の歌

鮎川信夫

ひどく降りはじめた雨のなかを
おまえはただ遠くへ行こうとしていた
死のガードをもとめて
悲しみの街から遠ざかろうとしていた

おまえの濡れた肩を抱きしめたとき
なまぐさい夜風の街が
おれには港のように思えたのだ
船室の灯のひとつひとつを
可憐な魂のノスタルジアにともして
巨大な黒い影が波止場にうずくまっている
おれはずぶ濡れの後悔をすてて
とおい航海に出よう
背負い袋のようにおまえをひっかついで
航海に出ようと思った
電線のかすかな唸りが
海を飛んでゆく耳鳴りのように思えた

おれたちの夜明けには
疾走する鋼鉄の船が
青い海の中に二人の運命をうかべているはずであった
ところがおれたちは
何処へも行きはしなかった

安ホテルの窓から
おれは明けがたの街にむかって唾をはいた
疲れた重たい瞼が
灰色の壁のように垂れてきて
おれとおまえのはかない希望と夢を
ガラスの花瓶に閉じこめてしまったのだ
折れた埠頭のさきは
花瓶の腐った水のなかで溶けている
なんだか眠りたりないものが
厭な匂いの薬のように澱んでいるばかりであった
だが昨日の雨は
いつまでもおれたちのひき裂かれた心と
ほてった肉体のあいだの
空虚なメランコリイの谷間にふりつづいている

おれたちはおれたちの神を
おれたちのベッドのなかで締め殺してしまったのだろうか
おまえはおれの責任について

おれはおまえの責任について考えている
おれは慢性胃腸病患者のだらしないネクタイをしめ
おまえは禿鷹風に化粧した小さな顔を
猫背のうえに乗せて
朝の食卓につく
ひびわれた卵のなかの
なかば熟しかけた未来にむかって
おまえは愚劣な謎をふくんだ微笑を浮べてみせる
おれは憎悪のフォークを突き刺し
ブルジョア的な姦通事件の
あぶらぎった一皿を平げたような顔をする

窓の風景は
額縁のなかに嵌めこまれている
ああ おれは雨と街路と夜がほしい
夜にならなければ
この倦怠の街の全景を
うまく抱擁することができないのだ

西と東の二つの大戦のあいだに生れて
恋にも革命にも失敗し
急転直下堕落していったあの
イデオロジストの顰め面を窓からつきだしてみる
街は死んでいる
さわやかな朝の風が
頸輪ずれしたおれの咽喉につめたい剃刀をあてる
おれには堀割のそばに立っている人影が
胸をえぐられ
永遠に吠えることのない狼に見えてくる

（詩誌「荒地」昭和二二年）

鮎川信夫

終戦期の困惑と厭世の詩情（ポエジー）である。「繋船ホテル」は、終戦間もない頃、廃船となった客船を波止場に繋ぎ留めてホテルにしたものである。二行目の「おまえは」は、愛人のことであるとともに、詩人自身のことでもある。目標をもてないでいる詩人が、愛人と気持だけでも新天地を目ざそうと、繋船ホテルに泊る。第二連で夜明けをむかえるが、一一行目の「ガラスの花瓶に」は、前の行の「希望と夢」の希薄さの暗喩である。次の行の「折れた埠頭のさきは／花瓶の腐った水のなかで溶けている」は心象風景といえるが、波止場に留まったままであることを突きつけている。第三連の三行目と四行目の「おまえ」は、神あるいは運命ということであろう。二人はやつれた風貌で、朝食のテーブルにつく。この連の後ろから三行目、「おれは憎悪のフォーク」を突き刺す。愛人との憂さ晴らしのような一晩にたいする自らへの怒りのあらわれである。最終連の後ろから三行目の「人影」は、そこに自らを投影している。最終連最後の「永遠に吠えることのない狼」とは、これからどう生きていったらよいのか分からないもどかしさといえる。

新天地を目ざして出航したくてもできない繋船は、詩人だけでなく社会状況のアレゴリーとなっている。くりひろげられる奇抜な暗喩はモダニズムととれるが、現実的なストーリーであることからリアリズムでもある。戦後詩を代表する詩とされているが、戦後の庶民の境遇とか心境ではなく、あくまでも詩人の、あるいはインテリゲンチャの虚無感や敗北感である。

田村隆一は大正一二年、東京府北豊島郡（現在の豊島区）の生れで、明治大学文芸科を卒業した。戦前は詩誌「LE BAL」「新領土」などに作品を発表していた。昭和二二年に鮎川信夫らと詩誌「荒地」を創刊した。昭和三一年に『四千の日と夜』、昭和三八年に『言葉のない世界』を刊行した。軽妙洒脱なエッセイ、対談、紀行文、ミステリーの翻訳などの著作もある。「荒地」グループのなかで最も活躍したといえるとともに、戦後詩を代表する詩人の一人である。

四千の日と夜

田村隆一

一篇の詩が生まれるためには、
われわれは殺さなければならない
多くのものを殺さなければならない
多くの愛するものを射殺し、暗殺し、毒殺するのだ

見よ、
四千の日と夜の空から
一羽の小鳥のふるえる舌がほしいばかりに、
四千の夜の沈黙と四千の日の逆光線を
われわれは射殺した

聴け、

雨のふるあらゆる都市、溶鉱炉、
真夏の波止場と炭坑から
たったひとりの飢えた子供の涙がいるばかりに、
四千の日の愛と四千の夜の憐みを
われわれは暗殺した

記憶せよ、
われわれの眼に見えざるものを見、
われわれの耳に聴えざるものを聴く
一匹の野良犬の恐怖がほしいばかりに、
四千の夜の想像力と四千の日のつめたい記憶を
われわれは毒殺した

一篇の詩を生むためには、
われわれはいとしいものを殺さなければならない
これは死者を甦らせるただひとつの道であり、
われわれはその道を行かなければならない

（詩集『四千の日と夜』昭和三一年）

「四千」という数字は、戦前戦中からの約一〇年を指している。二行目の「殺さなければならない」は、具体的に何のことであろうか。戦前の反省を踏まえた社会を築くために、国家主義的な思想や封建的な因習を打ち裂くことであり、また、これまでの詩法を棄て去ることでもある。四行目の「愛するもの」は、これまで従ってきた秩序や習慣であろう。そこから冒頭に戻って「一篇の詩が生まれる」とは、戦争を引き起こしたといえる近代思想や国家主義を否定あるいは超克する詩といえる。さらに、世間の潮流に迎合しないということもある。第二連三行目の「小鳥のふるえる舌」は新しい作風の詩であり、次の行の「四千の夜の沈黙と四千の日の逆光線」は、世の中の反目やいがみ合いであろう。第三連五行目の「四千の日の愛と四千の夜の憐み」は、見せかけの愛や偽善である。第四連五行目の「四千の夜の想像力と四千の日のつめたい記憶」は、芸術至上主義的なあるいは国策に迎合した文化芸術の創作というようなことである。

田村隆一

第二連終わりの「射殺した」、第三連終わりの「暗殺した」、第四連終わりの「毒殺した」は、いずれも戦前戦中のやり方を打破するという決意表明といえる。殺すことを意味する言葉が安易に用いられているが、終戦間もない頃なので、詩作の場を戦場と重ね合わせているのである。

最終連のはじまりで再び「一篇の詩を生む」とあるが、「一篇の詩」は新しい文化芸術を象徴している。次の行の「いとしいもの」は、ロマン主義・象徴主義や芸術至上主義的モダニズムである。最後から二行目の「死者を甦らせる」は、戦争の犠牲者への哀悼といえる。新しい文化芸術と社会復興のための戦いは、はじまっていた。

関根弘は大正九年、東京市浅草生れで、高等小学校を卒業してただちに就職、工場労働に従事しながら文学を学んだ。投稿により詩才を認められ、業界新聞の記者として活躍した。戦後は詩誌「列島」の編集に携わる。戦後の左翼前衛詩運動の代表的な推進者である。

なんでも一番

関根弘

凄(すご)い!
こいつはまったくたまらない
せっかくきたのに
摩天楼(まてんろう)もみえぬ
なにがなんだか五里霧中
その筈(はず)!
アメリカはなんでも一番

霧もロンドンより深い
嘘だと思う?
職業安定所へ
行って
試してみろ!
紐育（ニューヨーク）では
霧を
シャベルで
運んでいる!

（詩集『絵の宿題』昭和二八年）

七行目の「アメリカはなんでも一番」は、ソ連崩壊後のアメリカ一極体制を予言している。ニューヨークを「紐育」としているのは、イロニーといえる。アメリカは裏側でさまざまな組織、団体、権力がうごめいている国である。ケネディ大統領暗殺の真相までも謎となったままである。資本主義経済は必ずしも生産的な営みだけではないというアレゴリーである。

七―五　シュルレアリスムと超自然主義としての超現実主義

飯島耕一は昭和五年、岡山市生れで、東京大学仏文科を卒業した。昭和二八年に刊行した第一詩集『他人の空』で、新世代の抒情詩人として注目された。国学院大学、明治大学で教授を務める。シュルレアリスムに傾倒し、清岡卓行、大岡信らと詩誌「鰐」を創刊した。評論家としても活動する。

他人の空

飯島耕一

鳥たちが帰って来た。
地の黒い割れ目をついばんだ。
見馴れない屋根の上を
上がったり下ったりした。
それは途方に暮れているように見えた。

空は石を食ったように頭をかかえている。
物思いにふけっている。
もう流れ出すこともなかったので、
血は空に

他人のようにめぐっている。

（詩集『他人の空』昭和二八年）

大岡信は、題名にこの詩のテーマが表象されていることを、終戦から数年後の社会情勢と自らの学生生活から論じている。

> 詩集の冒頭におかれた詩「他人の空」だが、三年のあいだに飯島はすっかりアンテナを張りかえていた。朝鮮戦争とレッド・パージはぼくらの学生時代を通じての最大の事件だったし、大学の正門や赤門の前には、何かというとすぐ鉄カブトのお巡りが整列して門に向かって突進してくるのだった。構内ではジグザグ・デモが行われ、赤旗やプラカードが銀杏並木を波のように埋めた。ぼくらは第三次大戦の予感におびえていた。大学の講義はおよそ身にしみなかった。飯島の、たとえば「他人の空」という詩は、そういう時代の雰囲気を実にみごとに捉えている。とりわけ「行動的」になることができず、そのことに罪悪感めいたものを感じていた青年たちの心情を。（『現代詩人論』）

飯島耕一

朝鮮戦争は昭和二五（一九五〇）年に起こり昭和二八年に休戦となった。冷戦時代の昏迷に呑みこまれたやるせなさの詩情であり、第一連の「鳥たち」の行動に、自分たちを重ね合わせている。最後から二行目の「血」は生命の暗喩であり、最終行の「他人のようにめぐっている」は、逃避のスタンスや無力感を具象化している。

吉岡実は大正八年、東京市本所の生れで、高等小学校卒業後に出版社（筑摩書房）に就職し、向島商業学校の夜間部に通うも中退した。昭和一六年に召集され、食料や弾薬を輸送する輜重（しちょう）兵として満州を転戦した。召集前に『昏睡季節』と『液体』の二詩集を刊行した。昭和三〇年に『静物』を刊行、昭和三三年に刊行した『僧侶』でH氏賞を受賞する。戦争の現場を体験しているにもかかわらず、「荒地」グループのような厭世観や悲愴感はなく、戦争体験を無視したスタンスであった。シュルレアリスムにもとづいた知的探求の境地を創出する。

静物

吉岡実

夜の器（うつわ）の硬（かた）い面の内で
あざやかさを増してくる
秋のくだもの
りんごや梨（なし）やぶどうの類（たぐい）
それぞれは

かさなったままの姿勢で
眠りへ
ひとつの諧調へ
大いなる音楽へと沿うてゆく
めいめいの最も深いところへ至り
核はおもむろによこたわる
そのまわりを
めぐる豊かな腐爛(ふらん)の時間
いま死者の歯のまえで
石のように発しない
それらのくだものの類は
いよいよ重みを加える
深い器のなかで
この夜の仮象の裡(うら)で
ときに
大きくかたむく

（詩集『静物』昭和三〇年）

この詩は詩集『静物』の冒頭の詩であるとともに、吉岡実の代表作の一つである。物理空間に存在する物質の霊的な挙動が描写されている。静物、ここではくだものであるが、それらに特有の時間が過ぎてゆく。一一行目に「核は」とあるが、外見を下支えしている形而上学的な形象ということであろう。最後から三行目の「仮象」は、感覚で捉えている、あるいは見えている出来事・事象のことであるが、その背後には霊的あるいは心象的な挙動が存在している、ということだ。

近代詩の始祖とされるボードレールには僧侶の拝金主義を批判した詩「不出来な僧侶」があるが、吉岡実の詩「僧侶」は、僧侶とは相反する行為のストーリーで、シュルレアリスム的な奇抜さで進行してゆく。全九連からなる短編詩の連作で、各連の書き出しは「四人の僧侶」で統一されているが、「四人の僧侶」が次に何をするのかという好奇心にかられる。

僧侶

吉岡実

1
四人の僧侶
庭園をそぞろ歩き
ときに黒い布を巻きあげる
棒の形

憎しみもなしに
若い女を叩く
こうもりが叫ぶまで
一人は食事をつくる
一人は罪人を探しにゆく
一人は自瀆（じとく）
一人は女に殺される

三行目の「黒い布を巻きあげる」からドラマのはじまりが感じられるが、僧衣の裾が風でまくれたとも、出入口に幕があってそれが巻きあげられたともとれる。仏教なのかキリスト教なのかは判然としない。次の行の「棒の形」は男根を連想させられる。六行目の「若い女を叩く」は、陵辱におよんでいるのかもしれないが、修行の一端として折檻しているともいえる。後ろから三行目の「罪人を探しに」は、僧侶の職務ではない。次の行の「自瀆」はオナニーである。聖職者というより凡人の活動が語られている。最終行の「一人は女に殺される」の「女」は愛人であったのか、ミステリーへとはいってゆく。

2

四人の僧侶

めいめいの務めにはげむ
聖人形をおろし
磔(はりつけ)に牝牛(めうし)を掲げ
一人が一人の頭髪を剃り
死んだ一人が祈禱し
他の一人が棺をつくるとき
深夜の人里から押しよせる分娩の洪水
四人がいっせいに立ちあがる
不具の四つのアンブレラ
美しい壁と天井張り
そこに穴があらわれ
雨がふりだす

この連では、二行目にあるように「めいめいの務め」を簡潔に語っている。三行目の「聖人形」と次の行の「磔」から、僧侶はキリスト教である。「磔に牝牛を掲げ」は、キリストの磔刑像(たっけいぞう)に「牝牛」の絵か像を掲げたととれる。八行目の「分娩の洪水」は、数多くの子どもが生れたということであり、次の行の「いっせいに立ちあがる」からは、彼らがそれに関与していたことがうかがえる。立ちあがった僧侶は「アンブレラ」のようであり、見るからにネガティブであり、妖怪のようでもある。アクティブとか生産的な姿ではない。最終行の「雨がふりだす」からは、陰鬱な事柄や行為がさらにつづくと予想される。

3

四人の僧侶
夕べの食卓につく
手のながい一人がフォークを配る
いぼのある一人の手が酒を注ぐ
他の二人は手を見せず
今日の猫と
未来の女にさわりながら
同時に両方のボデーを具えた
毛深い像を二人の手が造り上げる
肉は骨を緊めるもの
肉は血に晒されるもの
二人は飽食のため肥り
二人は創造のためやせほそり

この連では、二人は食事、二人は余暇である。八行目の「両方のボデー」は「猫」と「女」ということになる。次の行の「毛深い像」は、第三者的にはキリスト教ではなくアニミズムあるいはカルトである。最後から二行目の「二人は飽食」は贅沢志向であるが、最終行の「二人は創造」はマイナーながら文化芸術志向である。

4

四人の僧侶
朝の苦行に出かける
一人は森へ鳥の姿でかりうどを迎えにゆく
一人は川へ魚の姿で女中の股をのぞきにゆく
一人は街から馬の姿で殺戮(さつりく)の器具を積んでくる
一人は死んでいるので鐘をうつ
四人一緒にかつて哄笑しない

「僧侶」は変身して邪悪を遂行する。三行目の「鳥の姿でかりうどを迎えにゆく」は、「かりうど」を変幻自在に翻弄するということであろう。最後から二行目の「死んでいる」一人は、「鐘をうつ」という本来の業務をしている。

5

四人の僧侶
畑で種子を撒く
中の一人が誤って
子供の臍(へそ)に蕪(かぶ)を供える
驚愕した陶器の顔の母親の口が
赭(あか)い泥の太陽を沈めた
非常に高いブランコに乗り
三人が合唱している
死んだ一人は
巣のからすの深い咽喉の中で声を出す

三行目の「中の一人」が、「子供の臍に」とあるが、幼児への性的いたずらを暗示している。五行目の「母親の口」は、次の行の「太陽を沈めた」からいえることは、大きく口を開けたのである。最後から四行目の「非常に高いブランコに乗り」は、悪行の対象を探しているのである。最後から二行目の「死んだ一人」が、「からすの深い咽喉の中で声を出す」とは、人の声では喋れなくなっていて、死者の声ということだ。

6

四人の僧侶
井戸のまわりにかがむ
洗濯物は山羊の陰嚢
洗いきれぬ月経帯
三人がかりでしぼりだす
気球の大きさのシーツ
死んだ一人がかついで干しにゆく
雨のなかの塔の上に

四行目の「洗いきれぬ月経帯」からは、淫乱な行動が暗示されている。六行目の「気球の大きさのシーツ」からは、実用が無視された卑猥で楽天的なムードが示されている。最終行の「雨のなか」で干すということは、天の邪鬼である。

7

四人の僧侶
一人は寺院の由来と四人の来歴を書く
一人は世界の花の女王達の生活を書く

一人は猿と斧と戦車の歴史を書く
一人は死んでいるので
他の者にかくれて
三人の記録をつぎつぎに焚く

「四人の僧侶」の三人は執筆活動をしているが、二人目と三人目は、僧侶の職務とはかけ離れた内容の記録である。四人目の「死んでいる」一人は、記録を燃やす。歴史的や文化的な価値のない記録を燃やしてしまうのは、リーゾナブルな行為なのである。

8

四人の僧侶
一人は枯木の地に千人のかくし児を産んだ
一人は塩と月のない海に千人のかくし児を死なせた
一人は蛇とぶどうの絡まる秤の上で
死せる者千人の足生ける者千人の眼の衡量の等しいのに驚く
一人は死んでいてなお病気
石塀の向うで咳をする

吉岡の戦争体験からは、後ろから三行目の「死せる者」は戦争や紛争などで理不尽に命を奪われた者たちである。同じ行の「生ける者」は現代の人びとであり、戦争などによる殺戮を無くす責任を負っているということだ。「四人の僧侶」の生きている三人は、悪行と色欲に溺れている。最後から二行目の「死んでいて」の一人は、病気であるということは、亡霊でなお生きていることになる。

9

四人の僧侶
固い胸当のとりでを出る
生涯収穫がないので
世界より一段高い所で
首をつり共に嗤う
されば
四人の骨は冬の木の太さのまま
縄のきれる時代まで死んでいる

（詩集『僧侶』昭和三三年）

二行目の「固い胸当のとりでで」からは、兵営や強制収容所のイメージが彷彿してくる。

「四人の僧侶」は自殺し、骨は風化してゆく。生きていることの意味を見失ったのである。最終行は「縄のきれる時代まで死んでいる」とあることから、「縄のきれる時代まで」ということは、生き返る可能性がある。不気味さを残したまま終わる。

各連は必ず冒頭「四人の僧侶」からはじまっているが、これがある統一的な流れをつくり出している。争い、恋、かけ引き、葛藤などはなく、思想哲学のない行為の連続である。僧侶はサービス業ではなく、非日常的な職業であるにもかかわらず、詩句はほぼ日常に終始している。聖職という観念的な領域の危うさと脆さを、矛盾と猥雑の活動であばき出している。これを内幕として人間の深層を見通せるような仕組みとなっている。

僧侶の生活と労働を、各連で簡潔に表現している。1連は「四人の僧侶」それぞれの職務、2連はサブの職務、3連は食事と余暇、4連は野外での職務、5連は畑仕事と休憩、6連は洗濯、7連はデスクワーク、8連は淫乱の実態、9連は結末となっている。僧侶という聖職と欲望のおもむくままの生活との相反がイロニーとなっている。ここでの欲望は近代社会の金や地位に対してのものではなく、原始的な欲望であり、文明化されていない人間の欲望である。シュルレアリスムの世界である。人間はこうあってもよいのではなく、詩的フィクションとしての警鐘であ

吉岡実

る。僧侶という職業は生産活動ではなく、ある種のサービス業的な側面があり、成果は出さなくても成り立つ職業である。僧侶は神聖であることが仕事であり、それが失われると怪物同然といえる。僧侶にかぎらず、人間とはこうならないために、生きているといえそうだ。道徳的な葛藤をすることが、人間存在であるといういい方もできる。最終連で僧侶らは死にいたるが、いずれは復活する可能性を残している。それは別の僧侶らにより同じ欲望はくり返されることを示唆している。シュルレアリスム的な怪奇さに加えて、僧侶の生活ぶりの単純化は、本質のイメージ化をもたらしている。さらに知をはたらかせて連を組立てることで、リアリティをかもし出している。「四人の僧侶」の極端な事例が、サリン事件のオウム真理教といえよう。「四人の僧侶」は警鐘なのである。大岡信は吉岡実の追求したものは、無意識や深層心理の暗部の暴露だというようなことを書いている。

　吉岡実の詩は、実際衝撃的なイメージに満ちている。ぼくらは彼の幾分窮屈に暗い詩の世界で、イメージからイメージへと息つくひまなく引きずり廻される。そして、これが吉岡実の詩の独特なところだが、それらのイメージはぼくらの生理の暗部にたしかな反響を見いだし、ぼくらのぼくら自身にさえ気づかれなかった心理の暗部に柔らかで執拗な指をさしのべてくるのである。

（『現代詩人論』）

　吉岡実のシュルレアリスムは、現実を知的にフィクション化して、不可能ではないが有りそうもない行為や事象をくりひろげていることから、むしろ西脇順三郎が唱えた超自然主義としての超現実主義である。ここでは人間の深層に潜む本性の卑猥さや怪奇志向を暴きだした、現実的なストーリーとなっている。現実の人間性はこれほど卑猥ではないが、深層にはこういう一面もあり、それが支配的な人間もいることを警鐘している。

七—六　モダニズムの抒情詩

日中戦争に突入していた昭和一三年、国家総動員法が成立した。昭和一五年には、治安維持法違反の疑いで神戸詩人クラブに属する詩人一四名が検挙された。検挙された詩人は、西脇順三郎の影響下にあったモダニズム系であった。この神戸詩人事件後、西脇は郷里の小千谷に引きこもるように疎開した。『西脇順三郎全集』の年譜に、「戦時下の窮迫生活のなかでしきりに日本の古典文学を読み漁り『旅人かえらず』の構想を抱く」とある。昭和二二年刊行の第二詩集『旅人かえらず』は、一から一六八連まである長編詩「旅人かえらず」だけからなる詩集である。戦後に発表されているが、戦時下の感慨を交えた、日本の自然、風土への愛着のこもった戦後詩ともいえる。

旅人かえらず

西脇順三郎

一
旅人は待てよ
このかすかな泉に

舌を濡らす前に
考へよ人生の旅人
汝もまた岩間からしみ出た
水霊にすぎない
この考へる水も永劫には流れない
永劫の或時にひからびる
ああかけすが鳴いてやかましい
時々この水の中から
花をかざした幻影の人が出る
永遠の生命を求めるは夢
流れ去る生命のせせらぎに
思ひを捨て遂に
永劫の断崖より落ちて
消え失せんと望むはうつつ
さう言ふはこの幻影の河童
村や町へ水から出て遊びに来る
浮雲の影に水草ののびる頃

「旅人は待てよ」からはじまるが、語り手である詩人自身への呼びかけでもある。詩編冒頭の「旅人」としては、漂泊の詩人である西行や芭蕉が想い浮かぶ。しかし「待てよ」からは、そういった文芸や人生の探求を目ざした旅人ではなく、定住の地を失った流浪の身ということを再確認していることがうかがえる。さらに水を飲む前に、自らの存在について考えよということである。一一行目に「幻影の人」とあるが、序において、「幻影の人」についての所感を書いている。

自分を分解してみると、自分の中には、理知の世界、情念の世界、感覚の世界、肉体の世界がある。これらは大体理知の世界と自然の世界の二つに分けられる。

次に自分の中に種々の人間がひそんでゐる。先ず近代人と原始人がゐる。前者は近代の科学哲学宗教文芸によつて表現されてゐる。また後者は原始文化研究、原始人の心理研究、民俗学等に表現されてゐる。

ところが自分の中にもう一人の人間がひそむ。これは生命の神秘、宇宙永劫の神秘に属するものか、通常の理知や情念では解決の出来ない割り切れない人間がゐる。

これを自分は「幻影の人」と呼びまた永劫の旅人とも考へる。

この「幻影の人」は自分の或る瞬間に来てまた去つて行く。この人間は「原始人」以前の人間の奇蹟的に残つてゐる追憶であらう。永劫の世界により近い人間の思ひ出であらう。

「幻影の人」は、近代という合理主義・物質主義の呪縛から抜け出した人である。第一連からは、鴨長明の『方丈記』にある「行く川のながれは絶えずして、しかももとの水にあらず」と重なった無常観が立ち上がってくる。後ろから三行目に「河童」があらわれる。無常観とともに虚無感、厭世観に苛まれている詩人を、第三者的に嘲笑している。ここでモダニズムが乱入してきたのである。

二
窓に
うす明りのつく
人の世の淋しき

「うす明り」には安らぎがあり、「淋しき」は孤独を感じていることであるが、この詩では「淋しき」が随所に出てくる。感傷に打たれているというより、詩的な、あるいは東洋の美的な境地の表現といえる。

三
自然の世の淋しき
睡眠の淋しき

「自然の世の淋しき」は、ジャン・ジャック・ルソーのような自然への陶酔に浸っているといえる。「睡眠の淋しき」は、寝つけないときの夢心地ととれる。

四
かたい庭

「かたい庭」とは、禅のような求道的な造形が施された庭であろう。

五
やぶがらし

「やぶがらし」は、藪を覆って枯らしてしまうことからこの名が付いている多年草であるが、無常観が彷彿してくる。場所は郊外である。

——略　六——

七
りんどうの咲く家の

窓から首を出して
まゆをひそめた女房の
何事か思いに沈む
欅（けやき）の葉の散ってくる小路の
奥に住める
ひとの淋しき

　小説的な一場面である。三行目の「女房」は家庭内のもめ事をかかえているようだが、周囲の木々に癒されているのである。

——略　八〜二七　——

二八
学問もやらず
絵もかけず
鎌倉の奥
釈迦堂（しゃかどう）の坂道を歩く
淋しい夏を過した

あの岩のトンネルの中で
石地蔵の頭をひろつたり
草をつんだり
トンネルの近くで
下から
うなぎを追つて来た二人の男に
あつたこんな山の上で

一行目の「学問もやらず／絵もかけず」は戦時中の回想なのであろう。四行目の「釈迦堂の坂道」は、鎌倉の名所である雑木林のなかの切通しの道である。「釈迦堂」は北条義時のために建立されたと伝えられているが、その場所は分かっていない。六行目の「岩のトンネル」は洞門と呼ばれていて、源頼朝が鎌倉に入る前からあったという説もある。洞門の中の壁には、穴が掘られ幾つもの石塔が設置されている。次の行の「石地蔵の頭をひろつたり」からは、鎌倉幕府衰退の歴史が伝わってくる。最後の二行、「うなぎを追つて来た二人の男に／あつたこんな山の上で」は、夢幻のなかのことで、シュルレアリスムである。

——略　二九〜四一　——

四二
のぼりとから調布の方へ
多摩川をのぼる
十年の間学問をすてた
都の附近のむさし野や
さがみの国を
欅(けやき)の樹をみながら歩いた
あの樹木のまがりや
枝ぶりの美しさにみとれて

一行目の「のぼりと」は、新宿・小田原間を走る小田急線の登戸駅のエリア、多摩川中流域の神奈川県側である。ここから調布まではかなりの距離があるので、どこまで行くかはきめずに多摩川の土手を散策していたのであろう。最後二行の「樹木のまがりや／枝ぶり」に自然の妙趣とともにおかしさのある妙味を感じているのであるが、自然讃美のロマン主義である。

――略　四三〜四七　――

四八
あの頃のこと
むさし境(さかい)から調布へぬける道
細長い顔
いぬたで
えのころ草

「あの頃の」で書き出しているので、想い出を語っている。次の行の「むさし境から調布へぬける道」は、雑木林が散在する田園地帯で、まさに国木田独歩の『武蔵野』の世界である。人の手の加わった洗練された田園の光景がつづいている。現在は住宅地になってしまって、このような光景を見ることはできない。その次の行の「細長い顔」は出会った人であるが、西洋人風の顔が浮かぶ。さらに次の行で「いぬたで」を道端に目にする。花を密に付ける野草で、「えのころ草」は猫じゃらしの俗称で知られている野草である。これらの野草から武蔵野の風景がイメージできる。

——略　四九〜八三　——

八四
耳に銀貨をはさみ
耳にまた吸いかけのバットをはさむ
かすりの股引(ももひき)に長靴をはく
とたんの箱をもつ
人々の昔の都に
桜の咲く頃

一行目の「耳に銀貨をはさみ」は、江戸から明治期にかけての職人が想い浮かぶ。職人の服装を叙述しているが、江戸的な職人への哀愁である。最後から二行目の「昔の都に」は、昔の町並みへの郷愁である。最終行の「桜の咲く頃」からは、明るい情景が立ち上がってくる。シュルレアリスム的な夢の場面である。

——略　八五～八八　——

八九
竹がしたたる
武蔵野(むさしの)の小路に

国貞の描いたような
眼のつりあがつた女
に出会う
何事か秋の葉の思い
今宵の夢にみる
くちた木の橋に
あかのまんまの色あせる

一行目の「竹がしたたる」は武蔵野の風景を表象している。三行目の「国貞」は、江戸期の浮世絵師の歌川国貞であるが、「眼のつりあがつた女」は、面長で切れ目の女で代表される当時の美人であり、美人についての時代の違いが感じられる。これもシュルレアリスム的である。最後から二行目の「くちた木の橋」は哀愁をかもし出している。

——略　九〇～一〇五——

一〇六
さびれ行く穀物の上
哀れなるはりつけの男

ゴッホ自画像の麦わら帽子に
青いシャツを着て
吊られさがるエッケホモー
生命の暮色が
つきさされてゐる
ここに人間は何ものかを
言はんとしてゐる

畑のなかの磔刑の男、キリストというわけではないが、原罪を表象した情景である。五行目の「エッケホモー」は、ラテン語の〝Ecce homo〟で、新約聖書『ヨハネによる福音書』の一九章五節から引用されたものであろう。「この人を見よ」を意味しているが、ユダヤの太守ピラトが民衆の前で、いばらの冠のキリストを指さして言った言葉で、そこから苦難の道を歩む人という意味もある。ニーチェの自伝に『この人を見よ（Ecce homo)』がある。ラテン語での言葉の響きから、場所はエルサレムへと飛躍する。原罪をベースにした西洋の世界観を表出しているが、詩人はそれに傾倒しているわけではない。

——略　一〇七〜一一二　——

一一三
あかのまんまの咲いている
どろ路にふみ迷う
新しい神曲の初め

散策を楽しんでいたとき、二行目で「どろ路」に入ってしまった。次の行の「神曲」は、『神曲　地獄篇』を意味している。楽園から地獄への変転の暗喩である。苦難に陥るのも人生である。

――略　一一四～一六七――

一六八
永劫の根に触れ
心の鶉(うずら)の鳴く
野ばらの乱れ咲く野末(のずえ)
砧(きぬた)の音する村
樵路(しょうろ)の横ぎる里
壁のくづるる町を過ぎ

路傍の寺に立寄り
曼陀羅(まんだら)の織物を拝み
枯れ枝の山のくづれを越え
水茎の長く映る渡しをわたり
草の実のさがる藪を通り
幻影の人は去る
永劫の旅人は帰らず

（詩集『旅人かえらず』昭和二三年）

一六八が最終連であるが、「幻影の人」が通った場所は、霊的な場所に変容するがそれは一時のことで、「幻影の人は去る」と、ともに現実にもどる。三行目の「野末」は、野のはずれである。最終行の「永劫の旅人は帰らず」は、覚りのような境地を追求しながらの放浪はつづくということである。西行や芭蕉のような文芸修行の旅ではない。

全体としては口語であるが、文語もまじっている。文語は日本的な余情をもたせるためである。題名「旅人かえらず」は、シェイクスピアの『ハムレット』第三幕第一場の激しい厭世観からの発言「No traveller returns」からとったものであるとされている。語り手の詩人が表白する叙景は、「幻影の人」を表象しているのであるが、これは文化芸術の境地というより、覚りのような宗教的な境地といえよう。また詩人の行動や思惟が、シュルレアリスム的な場面をもたらしていて、そこに新境地的なイメージが立ち上がっている。叙景を中心にときおり感懐を交えて詩句が進行していて、全体としてはロマン主義である。「淋しき」がリフレーンのように頻繁に出てくるが、ネガティブな心境の吐露ではなく、ポジティブな自然との一体感を響かせている。東洋的な無常観や無の境地の追求をテーマとしていることは明らかで、むしろモダニズムの退潮といえる。イロニー、諧謔、アレゴリー、アナロジーあるいはシュルレアリスムなどを駆使した知の詩学が、戦争という組織的暴力によって打ち砕かれたという事実を踏まえてのことだ。他方、近代思想と近代化にたいする反省から、わが国の伝統的思想へと回帰したものの、東洋的な無常観や無の境地にモダニズムが介入することにより現代的な明るさが付加されていて、戦後期に呼応した建設的な気構えが鼓吹される。ところどころでイロニー、諧謔、おかしみを加えたり、あるいはシュルレアリスム的な出来事や事象がはいり込んでいることで、モダニズムへと変転している。また、各連につながりがなく、コラージュ的な構成はモダニズムである。ロマン主義とモダニズムとの融合をなし遂げているのである。

谷川俊太郎は昭和六年、東京府豊多摩郡（現在の杉並区）生れで、都立豊多摩高校卒業後は文筆業に進む。哲学者・谷川徹三の一人息子で一人っ子の特性からか、学校での集団生活には嫌悪感をもち、学業には身がはいらなかったという。昭和二七年の第一詩集

『二十億光年の孤独』を刊行した。伝統的な哀愁に根ざした抒情ではなく、現代に呼応したアポロ的な明るい抒情をきり拓いた。戦後詩を代表した「荒地」グループへのアンチテーゼとして登場したともいえる。昭和二八年に『六十二のソネット』、昭和三〇年に『愛について』を刊行した。昭和三七年に「月火水木金土日のうた」で第四回日本レコード大賞作詞賞を受賞しているが、アニメ『鉄腕アトム』の主題歌も作詞している。詩以外にも評論、エッセイから翻訳まで幅広く執筆活動をつづけている。

かなしみ

谷川俊太郎

あの青い空の波の音が聞こえるあたりに
何かとんでもないおとし物を
僕はしてきてしまつたらしい

透明な過去の駅で
遺失物係の前に立つたら
僕は余計に悲しくなつてしまった

（詩集『二十億光年の孤独』昭和二七年）

二行目の「おとし物」は、俗世間的なモノやカネではない。最後から二行目の「遺失物係」では、どうにもならないものである。孤独は憂鬱に沈んでいるのではなく、芸術的な境地への沈降といえる。「おとし物」は芸術や文学のビジョンが思いつかないことともいえる。従来、宇宙的な孤独感があるという解釈がされてきたが、戦争や紛争という国家・民族や宗教宗派や人間の間の争いに背を向けた先にある、芸術的とかコスモロジー的な世界実現への挫折感ともとれる。

博物館

谷川俊太郎

石斧など
ガラスのむこうにひつそりして
星座は何度も廻り
たくさんのわれわれは消滅し
たくさんのわれわれは発生し
そして
彗星が何度かぶつかりそうになり

たくさんのお皿などが割られ
南極の上をエスキモー犬が歩き
大きな墳墓は東西で造られ
詩集が何回も捧げられ
最近では
原子をぶつこわしたり
大統領のお嬢さんが歌をうたつたり
そんないろいろのことが
あれからあつた

石斧など
ガラスのむこうに馬鹿にひつそりして

（詩集『二十億光年の孤独』昭和二七年）

石器時代からの人類の歴史が、表象的に語られている。第二連二行目の「消滅」と次の行の「発生」は、民族や国家の滅亡と勃興ととれる。第三連の後ろから四行目の「原子をぶつこわし」は原子力のことであり、古墳の時代から原子力の時代へ飛躍する。文化文明の変貌の歴史であるが、最終連の終わりの「馬鹿にひつそり」に国家主義としての博物館が読みとれる。知的に掘り下げられた抒情詩であるが、近代の国家体制批判の視点からはモダニズムである。

六十二のソネット　31

谷川俊太郎

世の中に用意された椅子に坐ると
急に私がいなくなる
私は大声をあげる
すると言葉だけが残る

神が天に嘘の絵具をぶちまけた
天の色を真似ようとすると
絵も人も死んでしまう
樹だけが天に向かってたくましい

私が祭の中で証(あか)ししようとする
私が歌い続けていると
幸せは私の背丈を計りにくる

私は時間の本を読む
すべてが書いてあるので何も書いてない
私は昨日を質問攻めにする

（詩集『六十二のソネット』昭和二八年）

書き出しにある「用意された椅子」とは、組織の中での地位ということである。地位に縛られ、そしてこの連の最後の「言葉だけ」とは、言葉あるいは詩による認識を志向するととれる。第二連一行目に「神が天に嘘の絵具を」とあるが、「神」は天地創造の神ではないといえる。この連の終わりの「樹だけが」からはアニミズムへの信仰が感じられる。第三連一行目の「証し」は、証明、証拠であるから、生きていることを証明しようとしているのであろう。この連終わりの「私の背丈を計りにくる」とは、生きがいを観念や常識で測ろうとしているということだ。最終連は倦怠のアレゴリーである。次々に世俗的なことにあき足らないでいることをつづっている。その反動としての詩の世界への憧憬がわき上がる。

谷川俊太郎

谷川俊太郎の孤独は人間関係上のものではなく、宇宙空間での人間存在の孤独なのである。無限の宇宙に対する人間の儚さといえる。他方、感傷的な暗さはなく、宇宙との対峙というポジティブな明るい感慨ともいえる。ここに「感受性の祝祭」と呼ばれるこの時代の作風を代表している所以があるといえる。

戦後詩を主導した「荒地」と「列島」「荒地」の観念的な厭世観からの再生と「列島」の伝統的な抒情の拒否やアレゴリーによる社会批判は、モダニズム志向の戦後詩の詩法を方向づけたが、谷川はそのアンチテーゼとして登場した。社会情勢や政治と一線を画して、感受性をベースにした詩情(ポエジー)そのものに人生のエネルギーをわき立たせるスタンスを打ちたてていた。

大岡信は昭和六年、静岡県三島市生れで、東京大学国文科を卒業後は、読売新聞社に入社して一〇年間記者として勤務した。その後、明治大学の教壇に立つ。昭和三一年に第一詩集『記憶と現在』を刊行し、新鮮な知性と感受性の詩情を表出した。昭和三七年に第二詩集『わが詩と真実』を刊行した。昭和五四年から平成一九年にかけて、朝日新聞に連載した詩歌のコラム『折々のうた』でも著名である。

生きる

大岡信

人は知っているだろうか

水には幾重もの層があるのを
水底の魚とおもてに漂う金魚藻とは
ちがった光を浴びている
それが彼らを多彩にする
それが彼らに影を与える

ぼくは舗道に真珠をひろう
ぼくは生きる　影像の林の中に
心のいとに張りめぐらされた音符の上に
ぼくは生きる　雪の上にしたたる滴の穴の中
銭苔のひらく朝の湿地に
ぼくは生きる　過去と未来の地図の上に

きのうのぼくの眼の色をぼくは忘れた
しかしきのうのぼくの眼が何を見たかを
ぼくの指は知っている
眼の見たものは手によって
噍の肌をなでるようになでられたから

おお　ぼくは生きる　風に吹かれる肉感の上に

（詩集『記憶と現在』昭和三一年）

第一連は金魚鉢を眺めての、情景であろう。シュルレアリスム的な夢幻の眺めである。第二連では自然の風景に、生きがいを感じているのである。この連の三行目の「音符の上に」は、気持の高揚ととれる。五行目の「銭苔」は、湿った日陰地に群生する葉状帯の苔であるが、京都の苔寺の庭園、または屋久島の白谷雲水峡の山道が想い浮かぶ。第三連では、ただ見ているだけでは、心を打たれない、何らかの触れあいがあって、それが生きている醍醐味となるのである、と言いたいのである。何らかの触れあいとは、歩きながら眺めるとか、言葉を交わすことなどもふくまれる。

地名論

大岡信

水道管はうたえよ
お茶の水は流れて
鵠沼に溜り
荻窪に落ち
奥入瀬で輝け

サッポロ
バルパライソ
トンブクトゥーは
耳の中で
雨垂れのように延びつづけよ
奇体にも懐かしい名前をもった
すべての土地の精霊よ
時間の列柱となって
おれを包んでくれ
おお　見知らぬ土地を限りなく
数えあげることは
どうして人をこのように
音楽の房でいっぱいにするのか
燃えあがるカーテンの上で
煙が風に
形をあたえるように
名前は土地に
波動をあたえる

土地の名前はたぶん
光でできている
外国なまりがベニスといえば
しらみの混ったベッドの下で
暗い水が囁くだけだが
おお　ヴェネーツィア
故郷を離れた赤毛の娘が
叫べば　みよ
広場の石に光が溢れ
風は鳩を受胎する
おお
それみよ
瀬田の唐橋
雪駄のからかさ
東京は
いつも
曇り

（詩集『わが夜のいきものたち』昭和四三年）

冒頭での「うたえよ」という命令調から、いろいろな水の流れがスタートする。二行目の「お茶の水は流れて」は、「お茶の水」の水は「流れて」ということであるが、曖昧ないい方に詩情(ポエジー)がかもされている。「お茶の水」の澄んだ水は、次の行の「鵠沼」で沼に溜り、「荻窪」で窪みに落ち、「奥入瀬」で清流として輝く。水の流れ方から、それぞれの土地の雰囲気が浮かび上がってくる。六行目の「サッポロ」からビールが連想される。「バルパライソ」はチリの港湾都市である。「トンブクトゥー」はマリ共和国の都市で、かつては通商路の中継地として繁栄した。都市名からは歴史上の盛衰が彷彿してきて、映像も想い浮かんでくる。一〇行目の「雨垂れ」からは、流れの音が連想される。次とその次の行では、風変わりな「名前」の土地には「精霊」が宿っているとしている。さらに次の行の「時間の列柱となって／おれを包んでくれ」は、その精霊によって時空を突き抜けた場所へと運ばれたいということだ。最後から一五行目の「ベニス」は、『ベニスの商人』からか暗いイメージをかもしていて、「ヴェネーツィア」は清楚な水の都を突きつけてくる。

大岡信

最後から七行目の「おお／それみよ」は、イタリアのカンツォーネの曲名のもじりであるが、「おお」は感動詞ではなく冠詞であり、「私の太陽」の意味である。軽妙な雰囲気へと転調したことで、詩情を高めている。最後から五行目の「瀬田」の近くには堅田の浮御堂もある風雅な地である。近代都市の代表である「東京」という名からはロマンは感じられず、芸術的な響きにも乏しい。明治期になって命名された名で詩情は希薄である。水の流れをきっ掛けに地名をたどり、想像力を加えてゆく旅が、詩情を喚起しているとともに、現代の都市批判も推し進めている。地名からアニミズムの世界に引き込まれるが、最後から三行目で「東京」に戻ることで覚醒する。この詩はフィクションにより「地名」の形而上学的なパワーを探求している主知主義である。五〇（昭和二五）年代の「感受性の祝祭」からは抜け出している。谷川俊太郎、大岡信、飯島耕一らの五〇年代の詩は、「感受性の祝祭」と呼ばれたが、その詩は、芭蕉の「軽み」のように日常の身近なことをテーマにしていて、そこに現代詩ならではの知的な抒情と感性の自在さの妙趣を織りなしていた。

七―七　モダニズムを交えたリアリズム

安西均は大正八年、福岡県生れで、福岡師範学校を中退したが、昭和一八年に朝日新聞社に入社した。福岡総局、東京本社学芸部では記者を務めた。昭和三〇年に第一詩集『花の店』を刊行した。平成一年に『チェーホフの猟銃』で現代詩人賞を受賞する。

新古今集断想　藤原定家

安西均

「それが俺と何の関りがあろう? 紅の戦旗が」
貴族の青年は橘(たちばな)を噛み蒼白たる歌帖(カイエ)を展(ひろ)げた
烏帽子の形をした剥製の魂が耳もとで囁いた
灯油は最後の滴りまで煮えてゐた
直衣(なおし)の肩は小さい崖のごとく霜を滑らせた
王朝の夜天の隅で秤は徐(おもむろ)にかしいでゐた

「否(ノン)! 俺の目には花も紅葉も見えぬ」
彼は夜風がめくり去らうとする灰色の美学を掌(たなごころ)でおさへてゐた
流水行雲花鳥風月がネガティヴな軋みをたてた
石胎の闇が机のうえで凍りついた
寒暁は熱い灰のにおいが流れてゐた
革命はきさらぎにも水無月にも起らうとしてゐた

（詩集『花の店』昭和三〇年）

冒頭は藤原定家の独白である。定家は『明月記』という日記を、治承四（一一八〇）年二月から書きはじめた。この年の八月、源頼朝は、伊豆韮山で平氏打倒の挙兵をした。その報を聞いて、『明月記』には「世上の乱逆追討、耳に満つと雖(いえど)も紅旗征戎(こうきせいじゅう)は吾が事に非(あら)ず」

と、書きとめている。

この詩は、戦前戦中にほとんどの詩人が戦争に賛同した詩を書いたことへのイロニーをつづっている。定家は源平の争乱には一切かかわらず、歌人としての立場を貫いた。詩人は自らを、史実にもとづく定家になぞらえているのである。争乱の緊張感とそれに巻き込まれまいとする気迫がイメージ化されている。第一連二行目に「歌帖（カイエ）」とあるが、フランス語 cahier は帳面である。フランス革命を連想させる効果がある。この連の最終行の「秤は徐にかしいでゐた」は、政治体制の交代を暗示している。第二連一行目の「花も紅葉も見えぬ」は定家の和歌「見わたせば花も紅葉もなかりけり浦の苫屋（とまや）の秋の夕ぐれ」を下地にしたものであるが、この和歌はネガティブな美という新境地をきり拓いた。また、最終行の「きさらぎ」は旧暦二月でフランスの二月革命、「水無月」は旧暦六月で七月革命が想起される。一九世紀のフランスの詩人・ボードレールは二月革命には反王制派側で参加している。詩人が立ち上がらなければならないときもある。モダニズムをになった詩人として情勢次第では、政治に身を投じなくてはならない。戦後期は、革命のときでなくてはならないというのであろう。

安西均

長谷川龍生は昭和三年、大阪市東区（現在の中央区）の船場の生れで、七人兄姉（五男二女。兄四人は夭折）の末っ子であった。母の死、父の失踪などがあり、苦学生として旧制府立富田林中学を卒業した。経済的理由から大学進学を諦め、さまざまな職業につきながら詩作活動をした。「山河」に所属して、大阪で活動していたが、昭和三二年に大手広告会社のコピーライターとして東京に移住した。昭和三八年の冬から翌年の初春にかけての、はじめての海外旅行では、ソビエト連邦の作家との交流をかねてソ連各地（モスクワ、レニングラード、カリーニングラード、リガ、ミンスク、キエフなど）に三ヶ月ほど滞在した。この旅がきっかけとなりその後、世界各国を旅行するようになり、海外を舞台にした詩も多く書く。社会主義リアリズムを主導するとともに、主知主義を推進する。

造船の夕暮　―クランク・シャフト―

長谷川龍生

暗く、だだっぴろい
製鋼工場の中をとおって
機械工場にはいると
クランク・シャフトが
ずらりと光っている。
工員たちは最後のみがきにかかっている。
すでに木枠づめになって

あとは送り状を待っているやつもある。
くるくると試験回転をしているのは
錬りと鍛えの光輪をえがいている。
どうも先刻から、これら全部が大砲に見えてしょうがない
すばやく転換していく
この精巧さについて考えながら
さらに、暗く、ひろい
鉄と煙と、大音響の
なにものかが造られている
鍛造工場の中に入った。

（詩集『パウロウの鶴』昭和三二年）

軍事大国への夢の消滅とともに国家全体が没落した終戦間もない頃の日本。ところが、産業界では工業立国へと踏み出していた。工場内の様子の端的な描写の進行とともに、それらは詩人の内面に呼応してゆく。うす暗さは近代化の遅れを表しているが、それが力強さともなっている情景を描出している。この国の復興は、もの造りを地道に遂行することからはじまった。荒廃のなかでの熱気のある労働、無骨な機械の大音響は新しい文化芸術への躍動でもあった。工業立国への手ごたえも発信している。

理髪店

長谷川龍生

しだいに
潜ってたら
巡艦鳥海の巨体は
青みどろに揺れる藻に包まれ
どうと横になっていた。
昭和七年だったかの竣工に
三菱長崎で見たものと変りなし
しかし二〇糎（センチ）備砲は八門までなく
三糎高角などひとつもない
ひどくやられたものだ。
俺はざっと二千万と見積って
しだいに
上っていった。

新宿のある理髪店で

正面に嵌った鏡の中の客が
そんな話をして剃首を後に折った。
なめらかだが光なみうつ西洋刃物が
彼の荒んだ黒い顔を滑っている。
滑っている理髪師の骨のある手は
いままさに彼の瞼の下に
斜めにかかった。

（詩集『パウロウの鶴』昭和三二年）

三行目の「巡艦鳥海」は旧日本海軍の重巡洋艦で、昭和二〇年に佐世保港内で爆撃されて沈没したが、戦後引き揚げられてスクラップになった。再軍備と軍国主義の復活の危うさのアレゴリーである。サルベージ会社の潜水夫が作業の下調べをしているところからはじまるが、後半は理髪店での場面へと一転する。この転換が、テーマを鮮烈にイメージ化している。最後の二行からは、読者は軍国主義の復活への恐怖感を突きつけられる。事実にフィクションを加えることで臨場感を鮮明にしている。撃沈艦船を鉄屑としてその金額を見積もっているスタンスは、戦後の拝金主義台頭の暗示でもある。

長谷川龍生

七―八　モダニズムによる神話

入沢康夫は昭和六年、松江市生れで、東京大学仏文科卒業後は、筑摩書房に一年半ほど勤めてから、いくつかの大学の講師、助教授を経て明治大学の教授となった。昭和三〇年、学生時代に第一詩集『倖せ　それとも不倖せ』を刊行した。モダニズムを交えたミステリアスな世界を立ち上げている。

昭和四三年刊行の代表作である『わが出雲・わが鎮魂』では、神話の国としての出雲、それは大和朝廷により陰の国に仕立てられた国でもあるとしている。故郷である島根県エリアに神話が被せられ、詩劇が進行するとともに思索がくりひろげられている。シュルレアリスム的な夢幻の出来事や事象も織り込んでいる。注目すべきは、本文以上の量で詳細に書かれた自註が付けられていることである。そして本文は「わが出雲」、自註は「わが鎮魂」であるとしている。本文は詩劇として進行しているが、各詩句の下層には出雲神話だけでなく、ギリシャ神話、ダンテ、芭蕉、萩原朔太郎、西脇順三郎などが存在していることが明言されている。下層のさまざまな作品が、意味の拡大と深化をもたらしている、この重層構造は、エリオットの詩「荒地」のやり方を参考にしているといえる。

わが出雲・わが鎮魂

入沢康夫

I

やつめさす
出雲
よせあつめ　縫い合わされた国
出雲
つくられた神がたり
出雲
借りものの　まがいもの
出雲よ
さみなしにあわれ
ふみわけた草木の名前
かきわけた草木の名前は

やまかがみ
みらのねぐさ
まつほど
やますげ
やまあさ

——略——

書き出しから三行目の「よせあつめ」については、大和朝廷の画策にもとづいている、と自註に書いている。

日の神の子孫の治める陽の国に対する、陰の国・夜の国の必要上、それを出雲に措定し、各地の伝承を寄せ集めて、大和朝廷で作らせたものであり、古代出雲地方を中心として大和に対抗するに足る大国家があったわけではない、との説がある。（鳥越憲三郎『出雲神話の成立』その他）（出典も自註より）

七行目の「借りものの　まがいもの」は、太刀替えの物語をベースにしている、と自註にあり、「景行記」と「崇神記」のそれぞれのあらすじが書かれている。「景行記」では、倭建命（やまとたけるのみこと）は、自分の木刀と出雲建（たける）の太刀を交換したうえではたし合いを挑み、出雲建を打ちはたす。「崇神記」においては、兄の出雲振根（ふるね）が筑紫に赴いた留守中に、朝命を受けた弟の飯入根（いひいりね）が祖先伝来の神宝を献上し、それに怒った振根が、刀替えのトリックで弟を殺す。いずれにしても、出雲の大和への屈服のフィクションである。

九行目の「さみなしにあわれ」は自註にあるように、『古事記』に出てくる歌「やつめさす　出雲建が　佩ける太刀　黒葛多巻くき　さ身なしあはれ」からもってきている。ストーリーを歌に仕立てたもので、「さみなし」は、中身がないであり、「あわれ」については自註に意味が二通りあるとして、『古事記』では、ざまみろであり、『日本書紀』では、きのどくだ、にとれるとしている。この「あわれ」の意味のとり方によって、『わが出雲』の立場も違ってくると書いている。『古事記』のスタンスからは、出雲の弱さが、『日本書紀』からは、出雲の純真さが力説されている。大和朝廷が画策した神の国のフィクションを、拒否することから詩劇がはじまる。

II

すでにして、大蛇の睛（め）のような、出雲の呪いの中にぼくはある。米子空港の滑走路は、ほおずきの幻でいっぱいだ。異国の男がずかずかと歩いている。あの男も天から来た。緑のひげを生やしたいかめしい男。背広の右の袖口から突き出ている氷の棒。左の袖にかくされた金属の棒。だが、いまは、そんな男に、かかずらつておれないのだ。外交問題はこの次にしよう。

屋代、
安来（やすぎ）、
舎人（とね）、

大草、
出雲郷。

——略——

何をしに出雲に来たのか。友のあくがれ出た魂をとりとめに来たのだ。わが友、うり二つの友。時間の、闇の中で、鳰鳥のようにほの白く笑う、若くして年老いた神。みずから放つた矢に当つて、喪山の藪かげにとり落され、見失われたという、その魂を。

——略——

出雲地域の現代の玄関口である米子空港に、二行目で「異国の男」が、やって来ていた。三行目の「氷の棒」、四行目の「金属の棒」、「外交問題」については自註に、「神代記、国ゆずりの段」からの借用と書いてある。その物語とは、出雲族の大国主神の御子神の建御名方神が、国譲りを拒否するために、大和朝廷である天孫族の天照大御神の使者の建御雷神に力くらべを挑んだところ、建御雷神の手を掴むと、その手が氷や剣に変化したので、恐れをなして逃げ出したが、科野国の州羽の海（諏訪湖）にいたりそこで追いつめられる、というものだ。これは出雲族は天孫族に対して敗退したとアピールしている。建御雷神の変身といえる「異国の男」にかかわってはいられない、というのだ。
最後から三行目の「友のあくがれ出た魂をとりとめに」とあるが、「あくがれ出た」は、あるべき所から離れるという意味で、「とりとめに」は、引き留めるために、である。つまり、この世から抜け出てしまった友の魂を、この世にもどすために、語り手の詩人はやって来たのである。さらに同じ行の「うり二つの友」とは、その次に出てくる「若くして年老いた神」のことであり、その神については自註に天若日子伝説からの借用とあり、次のストーリーが載っている。

天若日子は、出雲に使いに降りながら八年も復命しない。そこで様子を見に来た雉の鳴女をも、彼は射殺してしまう。矢は天にまでとどき、逆に投げ返されて、天若日子はその矢で死ぬ。天若日子の葬儀に親友の阿遅志貴高日子根神が弔問するが、この二柱の神は姿が実によく似ていたので、遺族から死人が生き返ったとかんちがいされる。阿遅志貴高日子根神はそれに腹を立て、「御佩せる十掬劒を抜きて其の喪屋を切り伏せ、足以ちて蹶え離ち遣りき。此は美濃国の藍見河の河上の喪山ぞ。」（神代記）

死人と一緒にされて激怒した阿遅志貴高日子根神は、喪屋を蹴り飛ばし、それが美濃国長良川の畔まで飛んでいき、喪山という山になった、とのことだ。進行中の詩劇では、友はみずからの放った矢に当り喪山の藪のなかに消えたという。その後、友の魂は喪山でさ迷っているらしい。語り手の詩人は、阿遅志貴高日子根神であり、友は天若日子であり、現代の神話なのである。

Ⅲ

かつて名を許知度と呼ばれた第四のどぶ川
それは今しがた越えた
右手には　ぼくの生れた町の幽霊が洞窟のように伸び
そこから大勢の青ざめた顔がのぞき
だが　ぼくは　再びそこへ入つてゆかないし
ゆけない
すみれ色の
いたちのように走り出てくる子供たち　けだものたち

谷の奥に、道のきわまるところ、心をはげまして、白々と冴える石段をのぼる。並び立つ石の柱を大きく右まわりにまわつて、更にまた石段をのぼる。

清水無月の夕闇にまぎれて、いくつもいくつも鳥居をくぐつた。

――略――

冒頭の「許知度と呼ばれた第四のどぶ川」について自註には、『アエネーイス』や『神曲』では地獄には四つの川があることになっている、とある。三行目の「幽霊が洞窟のように伸び」は、見ためが幽霊のような洞窟なのである。四行目の「青ざめた顔」も自註に、『神曲　地獄篇』の「紫色になった千の顔を見た」（野上素一訳）からの引喩とある。この世でありながら辺りは地獄に変容する。

Ⅳ

夜ふけて、ふたたび驟雨。傘を借りて拝殿にのぼり、旧友たちの集いに加わる。壺の中で煮えたぎる湯。空しい誓い。去年までの島が、今は完全に地つづきになつて、きみたちは、その大きな砂州に町をたてる相談をしている。どんなブルドーザーが、どんな夢を押していくのか。

——略——

二行目に「空しい誓い」とあることから、旧友たちとはギャップが生じている。三行目の「ブルドーザーが、どんな夢を押していくのか」からは、むしろ街の再開発は夢を壊すことになる、と懸念しているのである。

V

昨日の犬が、夜のうちに死人の腕を社の縁先に置いていつた。

何の前兆？

神魂、

八重垣、佐陀、

予定どおり。

——略——

エリオットの詩「荒地　I死者の埋葬」での犬は、再生の可能性のある死体を掘りだしてしまうことから、犬は偽善者である、とみなされている。冒頭に出てくる「犬」も、人間の役に立っているとはいえない。

VI

南と北の

三つの館

友の魂まぎ
たずねて見たが
見失われた
その魂(たましい)は
どこへ行つたか
かげさえ見えず……

ぼくたちはまた市内にもどつて、時間はずれの昼食をとつた。

——略——

二行目の「三つの館」は、自註によると、松江の東南方にある神魂(かもす)神社と八重垣神社、それに西北方にある佐太神社である。そこでも友の魂を見つけることはできなかった。三行目の「魂まぎ」の「まぎ」は「覓」で、求める、探す、の意味であることから、「魂まぎ」は魂の探索ということである。最後の行の「時間はずれの昼食をとつた」以下は、レストランで居合わせた人たちの会話がつづく。その会話は、神話の引喩で組み立てられている。神話のフィールドにいることを再確認させられる。

Ⅶ

海はいくぶん荒れていて
無数の髪の毛を陸地へ吹きつけてよこした
役場の前に積み上げられたコカ・コーラの木箱にもたれて
ぼくたちは　不幸な男の話をしていた
だまされて　雲を抱いた男
そして雲から生れたおびただしい人と馬とのあいのこのことを
海の上には雲が車輪の形に光り
その中央に　月があわびのからの色で燃え
空の上の上のほうを
一羽の首のないあおさぎが叫んで行つた
「教えて下さい　あの人の魂は
どこにあるのでしょう　一体どこに
どこに　どこに　どこに　どこに」
そんなことが判るくらいならば……

防波堤の突端に七本ののぼりがはためき、その竿のあいだから大きな蟹が空へ這いのぼろうとしている。

——略——

冒頭の「荒れていて／無数の髪の毛を」について、自註に次のことが書かれてある。

小泉八雲は、佐太大神の生れたところとされる加賀の潜戸について、「髪の毛三本動かす風があっても、加賀へは行くな」という土地のいましめを伝えている。（『知られざる日本の面影』「子供の霊の洞窟」）（出典も自註より）

自註の一行目の「髪の毛三本動かす風」は、この土地ではこの程度の微風でも、波が高くなるので出航するなということである。同じ行の「加賀の潜戸（くけど）」は、島根半島北岸の地名であるが、「潜戸」とはもともとは洞窟のことであった。山陰地方の西海岸は、絶えず風が強い。海岸に洞窟の多い潜戸は観光地となっているが、そこへの海は少しの風でも荒れる。「無数の髪の毛」とは、それだけひどく海が荒れていることになる。霊気のただよっている場所なのである。詩の五行目の「だまされて　雲を抱いた男」については自註に、ギリシャ神話のイクシーオーンの想起として、そのストーリーが書かれている。イクシーオーンは父親を殺すが、この罪をゼウスが浄めてくれる。ところが、彼はヘーラーを犯そうとしたので、ゼウスは雲でヘーラーの似姿を創った。彼はこれと交わりケンタウロス族が生れた。怒ったゼウスは回転している火焔に彼を縛りつけたことから、彼はたえず空中を引き回されている。友はイクシーオーンのように懲罰にあっているのではないか、と心配になっているのであろう。

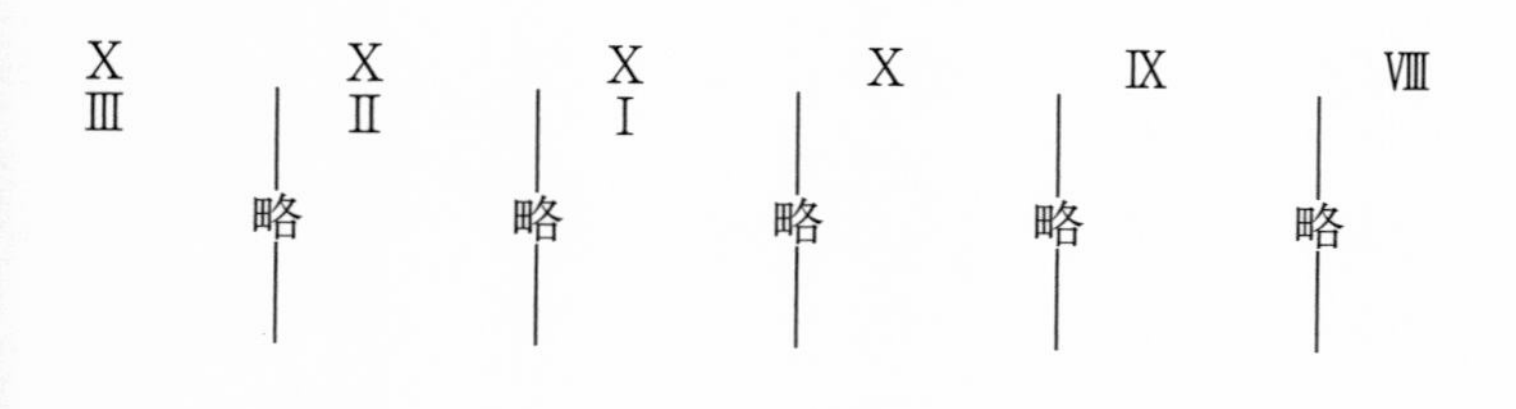

Ⅷ

——略——

Ⅸ

——略——

Ⅹ

——略——

ⅩⅠ

——略——

ⅩⅡ

——略——

ⅩⅢ

毘売の埼

旅のおわりの

鴛鴦・鳧

浮きつつ遠く

永劫の

魂まぎ人が帰って来る

意恵！

（詩集『わが出雲・わが鎮魂』昭和四三年）

最後から三行目の「永劫の／魂まぎ人が帰って来る」は、自註で「この二行は西脇順三郎『旅人帰らず』の最終行『永劫の旅人は帰らず』のもじり」とある。「永劫の旅人」は近代社会に迎合しない霊的な存在である。ここでは「帰らず」ではなく、友は霊的な空間からこの世に戻ってきたのであろう。

最終行の「意恵」にたいしては、自註において『播磨国風土記』のオワについての註に、次の意味が書かれているとある。

気力が抜けて仮死状態にあるのをヲエというのに通ずる語で、神が活動を終えて、鎮座（死の状態）しようとすることを示す語とすべきであろう。

友の魂と出会えて、この世に友を呼び戻すことができたことから、語り手の詩人は、神話の神の役割を終えた。そして出雲地域は霊界の地から現代の島根県エリアへと戻ることになる。

怪奇的な出来事が起き、語り手の詩人は翻弄されながらも、この地への愛着に目覚めてゆく。先入観の裏側にある魂の領域を放浪したといえる。神話を支えている怪奇的なあるいは古代的な風土への逍遥でもある。現代の島根県エリアを神話の出雲に変換することで、島根県エリアの風景・風土・風習の価値や意義の再認識がもたらされている。

入沢康夫

島根県エリアを舞台に、現代ヴァージョンの出雲神話が創り出されている。近代化により変容してゆく風景・風土と風俗・風習と向き合うことで、純真な精神性と自在な想像力をとり戻すことを啓示している。

七―九　モダニズムの戦後詩とは何か

ヨーロッパでは、ゲーテの古典主義からヴィクトル・ユゴーのロマン主義、ボードレールの象徴主義にいたるまで、外部すなわち社会体制・政治情勢やキリスト教の活動に対しての実態暴露や批判をくりひろげてきた。一例としてボードレールの詩「白鳥」では街の実情が随所で描写されている。次の第二連と三連では、近代化を目ざしたパリ大改造の街の様子が書かれている。

突如として私の肥沃な記憶を更に豊かにした、
折りしも私が新しいカルーゼル広場を横切って行った時に。
古いパリは最早ない（都市の形は
人の心よりもなお早く、ああ、変ってしまったのだ）。

今は心のうちに見るばかり、設営されたバラック小舎を、
粗造りの柱頭を、ごろごろした円柱の山積みを、
雑草を、溜り水で緑青色に染まった大きな石の塊りを、
それに窓硝子に光っていたごたまぜの古道具を。

（福永武彦訳、詩集『悪の華』）

近代化にともなった中世・近世の街の景観破壊を描出している。ボードレールといえば象徴主義の詩法で近代詩をきり拓いたとされているが、このような実態直視のリアリズムにより社会批判や日常のなかから芸術性を掬いとることもくりひろげていた。

明治維新後の近代社会となってからも、民衆は国家から与えられた中途半端な自由を自由と思い込んできた。民衆は国家主義に同調しやすい気質をもっていたのである。近代戦

争という国家ぐるみの組織的な武力・破壊活動に、断固反対するのがモダニズムであったはずなのだが、名の知れた詩人がこぞって戦争支持派にまわってしまった。戦意高揚のプロパガンダに踊らされた民衆に迎合してしまったのだ。

昭和二九年三月の文芸誌『新日本文学』において、吉本隆明は「荒地」グループの意義として、「かれらは、日本の近代詩史上、はじめて、ほんとうの意味での思想を詩のなかにみちびいた」と論じている。しかしながら、萩原朔太郎の虚無の世界、高村光太郎の道徳志向も思想といえる。社会をふくめた、外部と内面の相互作用あるいは外部と内面の相互のはたらきかけから立ち上がってくる詩情が、吉本のいう思想なのである。「荒地」グループの思想は、戦争への反省と社会の荒廃からの厭世観および政治や産業の行き詰りに起因した悲愴感や閉塞感が主体であった。他方、「列島」グループは社会的な風俗の描写から、日本のアメリカ化の進行を予言する内容などのものもあり、後世への警鐘を鳴らしていたといえる。「荒地」の、巧みな暗喩による不安や厭世感の映像化は、インテリゲンチャの精神の深淵さの詩情といえる。戦争により内面まで荒地と化したということが、近代社会批判ともなっていた。戦後となってすぐに、外部とのかかわりのなかでの厭世観や閉塞感を詩情へと高める詩法をうち出したのは、「荒地」グループの鮎川信夫や田村隆一らであったといえる。

他方、終戦となり民衆にはさまざまな希望がわいていたし、産業界では工業立国を目ざしてさまざまなプロジェクトもはじまっていた。それ故、「荒地」グループは観念的との批判も起こった。さらに、昭和が終わり平成となり令和という新元号になった時代の推移とともに、欲しいモノが分からなくなるほど物も情報も豊かになった時代に「荒地」的な反省と厭世の詩は、詩法としての価値はあるものの共感し難くなってきている。他方、「列島」グループは、描写を交えたアレゴリーなどにより、社会批判をくりひろげている。さらに、社会情勢や風俗の中に矛盾や弊害まで読み解こうとしていることから、将来を洞察するのに役立つといえる。「荒地」の終戦直後の共通の時代意識である反省と厭世観や「列島」の民衆志向の社会批判に対して、西脇順三郎は反戦精神を、モダニズムを交えた東洋の無常観や無の境地で追求した。

戦後詩というと、詩グループの「荒地」と「列島」の詩のことと思われがちで、単純には戦争にたいする反省や戦争にまき込まれた体験を反映した詩のことであった。それだけではなく、このようなことから脱却した詩も戦後詩といわれるようになった。終戦から一〇年後の、五〇（昭和二五）年代の「感受性の祝祭」と呼ばれた詩などである。戦後期の昏迷を引きずった、「荒地」の反省と厭世観からの再生や「列島」の社会批判と未来への警鐘からは離脱した、五〇年代の代表的な詩人として、現代的抒情の谷川俊太郎、超自然主義としての超現実主義の吉岡実、知的感性を交えた抒情の大岡信、社会と人間の本性を探求したリアリズムの長谷川龍生、モダニズムをベースにしたミステリアスなドラマの入沢康夫などが登場した。

谷川の『二十億光年の孤独』は、伝統的な抒情から脱却した日常のなかの生きがいを掘り起している。吉岡の『静物』は、存在を支える形而上学的な領域や無意識にあるグロテスクを探求している。大岡の『記憶と現在』は、シュルレアリスムをベースにした抒情を表出している。長谷川の『パウロウの鶴』は、高度経済成長の助走期の社会の暗さのなかにあるポテンシャルを予言している。入沢康夫の『わが出雲・わが鎮魂』は、昭和四三（一九六八）年の刊行であり、年代的にはポスト戦後詩となるが、エリオットの詩「荒地」と同じ様式であることから、戦後詩に入れてもよいであろう。そこでは、モダニズムを交えて神話を現代風に作り直して、歴史を踏まえて現代のトレンドを批判している。

戦後詩を駆動したモダニズムでは、ロマン主義的な自我の主張や芸術的イメージの創出、あるいは私小説に特徴的な葛藤などはない。伝統的なものの哀れや感傷的な抒情を突き放したフィクションをくりひろげ、あるいは社会をふくめた外部とのつながりや対立を認識する知的なイメージ空間を立ち上げることで、戦後の昏迷を突き抜け、社会批判と外部の圧力への反抗をベースにした未来志向のスタンスと思想を推し進めた。このモダニズムの潮流は現在にまで及んでいる。

《参考文献》

吉本隆明：戦後詩史論、思潮社、二〇〇五
栗津則雄：現代詩史、思潮社、一九七二
小田久郎：戦後詩壇私史、新潮社、一九九五

野村喜和夫、城戸朱理：討議戦後詩、新潮社、一九九七
村野四郎・編：日本の詩歌　27　現代詩集、中央公論社、一九七六
木島始・編：列島詩人集、土曜美術社出版販売、一九九七
茂原輝史・編：國文學　現代詩の一一〇人を読む、學燈社、一九八二
鮎川信夫：鮎川信夫詩集、思潮社、一九六八
田村隆一：田村隆一詩集、思潮社、一九六八
関根弘：関根弘詩集、思潮社、一九六六
吉岡実：吉岡実詩集、思潮社、一九六八
吉田精一、村野四郎・編：日本の詩歌　12　木下杢太郎　日夏耿之介　野口米次郎　西脇順三郎、中央公論社、一九七六
西脇順三郎：旅人かえらず　西脇順三郎詩集、東京出版、一九四七
大岡信：現代詩人論、講談社、二〇〇一
谷川俊太郎：二十億光年の孤独、サンリオ、一九九二
谷川俊太郎／大岡信・編：現代の詩人9　谷川俊太郎、中央公論社、一九八三
大岡信：大岡信詩集、思潮社、一九六九
安田章生：西行と定家、講談社、一九七五
長谷川龍生：長谷川龍生詩集、思潮社、一九六九
入沢康夫：入沢康夫詩集、思潮社、一九七〇

入沢康夫：わが出雲・わが鎮魂、思潮社、一九六八
ラフカディオ・ハーン／池田雅之・訳：新編　日本の面影、角川書店、二〇〇〇
西脇順三郎：ボードレールと私、講談社、二〇〇五
茂原輝史・編：國文學　現代詩をどう読むか、學燈社、一九七九

八　モダニズムのポスト戦後詩

八―一　ポスト戦後詩の経緯

一九五九（昭和三四）年から翌年にかけて、日米安全保障条約の改定に反対する安保闘争があった。この頃から「大衆社会」と呼ばれる時代に入っていったが、詩の新しい書き手が、つぎつぎと同人詩誌を創刊しはじめた時代でもあった。そこで、〝六〇年代詩人〟とか、〝詩的六〇年代〟という言い方もされた。安保闘争という具体的な言葉は、詩に入り込んできただけでなく、闘争のラディカリズム（急進主義）は、詩法のラディカリズムへと突き進んだ。この世代の特徴が最も出ている詩誌に、「暴走」と「バッテン」の同人が合流して創刊した「凶区（きょうく）」があった。渡辺武信や天沢退二郎、鈴木志郎康（しろうやす）や高野民雄、菅谷規矩雄や山本道子ら一〇人が結集した。「凶区」は昭和三九年四月から昭和四六年三月までに、二七冊が発行された。

ベトナム反戦運動（昭和四〇～五〇年）や文化大革命（昭和四一～五一年）の影響を受けて勢力を拡大した全共闘（全学共闘会議）は、昭和四三年から翌年にかけて学内バリケード封鎖などを強行した。この時期のさまざまな学内勢力による学園闘争が目ざしたのは、安保条約自動延長への反対、そして大学におけるマスプロ教育への反対や民主的な運営、学内での思想的自由の要求などであったが、民衆レベルの支持は得られずに、厭世感だけが残った。安保闘争につづく学園紛争などによる社会の昏迷した状況を、〝六〇年代詩人〟は過激な言葉や詩句でふり払いながら霊的な領域の創出へとつき進んだ。

一九七〇（昭和四五）年代初頭には、左右両翼の過激派の破局を示す二つの象徴的な事件が起こった。自衛隊市ヶ谷駐屯地での三島由紀夫の自決とあさま山荘での連合赤軍事件である。民衆の支持を得られないままの孤立した闘いであった。保守安定の時代がはじまりつつあった。〝詩的六〇年代〟のラディカリズムは、七二（昭和四七）年に創刊された「白鯨」などに継承されたが、六〇年代のラディカリズムの過激な表現は抑えられ、内面探求的で抒情的にもなっていった。

八―二　モダニズムからのラディカリズム

鈴木志郎康は昭和一〇年、東京市亀戸の生れで、福島県の疎開先で終戦をむかえた。早稲田大学文学部仏文科を卒業した。昭和三八年に第一詩集『新生都市』を刊行した。昭和四二年刊行の第二詩集『罐製同棲又は陥穽（かんせい）への逃走』でH氏賞を受賞する。昭和三六年から五二年までNHKに一六ミリ映画カメラマンとして勤務。昭和三八年頃から個人映画を作りはじめた。

新生都市

鈴木志郎康

空には雲がなかった
雷鳴もなかった
風はひたすらペンペン草をゆらした
わたくしはその時を知っている
暗い穴から最初の血まみれの白い家が現れた
女の穴から血まみれの家は次々に現われた
乾いて行く屋根の数は幸福であった
それは今女が生み落としたばかりの都市であった
人間のいない白い道路
人間の影のない白い階段
純白の窓にはもう血痕はなく
壁は余りにも自由であった
コロナに輝く太陽の下で
腐って既に渇いて行く母親の死体の上に
白色に光る直線はおどろくばかりの速さで成長した
人間はなく
風はなく

既に空さえもなかった

（『新生都市』昭和三八年）

全体が暗喩で成り立っている。三行目の「ペンペン草」からは、いかにも貧相な風景が連想される。四行目で「わたくしは」と語り手が登場するが、その後も語りに終始している。この行の「その時」とは、次に語られる衰退の変遷のことである。五行目の「暗い穴から最初の血まみれの白い家」は文明のはじまりであり、次の行の「女の穴から血まみれの家」は資本主義の勃興であり、その次の行の「乾いて行く屋根」はその発展の状況の暗喩といえる。そして最後から三行目の「人間はなく」は、都市の崩壊を意味している。「荒地」グループの厭世観を引き継いでいる。エリオットの詩「荒地　V雷の言ったこと」で語られている荒涼とした乾燥地帯に散在する民家の情景が想い浮かぶ。

東京への一極集中と地方の過疎化の先には、このような殺伐とした都市の情景が出現するのかもしれない。ラディカリズムは言葉による近代文明への攻撃でもある。

天沢退二郎は昭和一一年、東京生れで、三歳のとき両親とともに満州に渡ったが、昭和二一年に満州から引き揚げた。東京大学文学部仏文科卒業した。昭和三二年に第一詩集『道道』を刊行した。在学中に詩誌「暴走」を創刊、次いで昭和三九年に「凶区」を創刊する。昭和四一年パリ大学に留学した。明治学院大学教授を定年まで務める。宮沢賢治の研究者としても知られている。

ぼくの春

天沢退二郎

青ざめた泥濘(ぬかるみ)はインクの襞のかなしさ
遠い空のへりではかすかに
高くハモンドオルガンが鳴る
傾いた日ざしはさびれた村道をてらし
右から左から波のように逼(せま)ってくる林の散兵隊
そのずっと向うの
褐色に落ちた高杉のこずえの方で
ほら　あのようにハモンドオルガンが鳴る

空はまだ破れたゴム毬のように青い　ひるすぎの
この鎮んだ光の風景を
黒びかりする二つの輪軸を繰りながら
斜めに斜めにめぐって行くもの
ほのかにかぎろう麦畑のこっちで

あるいはへんにあかるい松林のはずれで
進んでくるその黒いぼくを見るぼく

（遠く湧きあがる調べは
葬送マーチよりも青い春の電車だ）

（詩集『道道』昭和三二年）

宮沢賢治の怪奇的な世界をなぞっているようでもある。天沢退二郎が宮沢賢治を論じた評論『宮沢賢治の彼方へ』はひろく読まれている。書き出しの「青ざめた泥濘」は、次の行に「空」とあるので、「空」がそのように見えているのであろう。「青ざめた」からは童話的な世界に引き込まれる。三行目の「ハモンドオルガン」は、「青ざめた」色に反響している。次の行の「村道」からは、場面は田園である。その次の行の「散兵隊」は、遠方から見えている木々を兵士に見立てているのである。散兵戦術はナポレオンのフランス軍が積極的に用いた隊形である。第一連の最後で、また「ハモンドオルガン」が鳴り、童話の世界が強調される。

第二連一行目に「空はまだ破れたゴム毯のように」とあるので、澄みわたった空ではなく、歪んだ雲でもあるのであろう。最後から四行目の「斜めにめぐって行くもの」は、語り手である「ぼく」である。別次元の世界に居るのである。その次の行の「かぎろう」は、夜明けの光である「かぎろい」の動詞化されたもので、ぼんやり見えているのである。宮沢賢治の詩での奇怪な場面は、法華経の世界であったが、ここではシュルレアリスム的な夢幻の世界を演出している。最終行の「葬送マーチよりも」は、宗教の世界ではない、と明言している。

ソドム

天沢退二郎

この街角の割れめのサックスはにせものだ
おれの怒りはキラキラ飛び散った
おれの首にまたがる馬蹄形の輝く女
何のため骨の凹みにそって手をさし入れ
何のため手くびの
環状のめざめをねがうのか
はげしく回る車輪をいくつもおれは渡った
震えあがるめざめの鳥の平衡を
いくつもおれは崩壊させた
おれの舌はいま細く裂けて
透った敷石のすきまに死んだ女の唾をさぐる

にせもののサックスはおれの両耳を
つき通して軟らかな砂のうす桃色の唄を
ときどき劇しく右へ
あるいは左へ吹きならして身悶える
そのままうつぶせにおれは一気に引きずられた
結核性のバーの毀（こわ）れたイルミネーションに
女たちの嵐を叩きつけて
おれの顎（あご）は無数のハイヒールをくわえこんだ
しかしおれの首をはさみつける馬蹄形の女は
なぜ冷い五つの瞳をさしのべつづけるのか
女は黙って骨ばかりの掌をおれの顔の前に垂らした
おれの両膝はぼろぼろの映画をぶらさげて燃える
おれの鼻さえにせもののサックスにおしひろげられ
狂喜して血の糞を空いちめんに放つだろう
辛うじておれは腕でまっ黒な骨をささえ
そりかえってあるたけの温い水を吐いた
このおれの眼が食欲以外の何だというのか
街々は湾曲し数限りない車輪となって走りだす

おれも走る高くさしあげた両手に
絞め殺した女の髪をひきつらせる
にせものの星々をつかんで
サックスのにぶい黄金の空のおもてに
夜と昼が砂ぼこりをあげせわしなく入り乱れる

（詩集『夜中から朝まで』昭和三八年）

題名の「ソドム」は、旧約聖書に記されている都市名であるが、そこの住民は罪悪のため神の火に焼かれて滅びたとされている。書き出しの「街角の割れめ」は、街の日常性が壊れた一角であろう、「街角の割れめのサックス」からはジャズが連想されてきて、自由主義が彷彿してくる。三行目の「馬蹄形の輝く女」は、民衆を抑圧する権力、あるいは伝統的な詩法ととれる。一九行目の「おれの顎は無数のハイヒールを」は、意味不明のようだが、「顎」が「ハイヒール」で蹴り上げられているとイメージできる。最後から七行目の「眼が食欲以外の何だというのか」とは、動物的な欲望に駆られていることの暗喩である。さまざまな欲望が代わる代わるやってくる。それが現代社会といえる。詩のなかの外部の怪奇な出来事や自らの過激な行為は、個人的な悶えに帰結していて、外部を改新する

天沢退二郎

はたらきかけにはいたっていない。安保闘争の時代である。政治的に昏迷した社会に、ラディカルなあるいは自在な言葉の使い方によるイメージで対抗していた。社会情勢に動じない、自己を確保していたともいえる。

八―三　モダニズムからの現代の霊界

吉増剛造は昭和一四年、東京市阿佐ヶ谷の生れで、アメリカ軍横田基地のある福生市で青年期をすごした。慶応大学文学部卒業後、アイオワ大学に招かれ滞在した。その後、世界各地をめぐった。昭和三九年に第一詩集『出発』を刊行、昭和五九年に詩集『オシリス、石ノ神』を刊行する。疾走感あふれる詩や地霊を彷彿する詩を多数発表する。詩の朗読パフォーマンスの先駆者としても知られている。

花・乱調子
凶区への日録

吉増剛造

ある日
ぼくは何年も持って歩いている
日記帖に花のことを書いた
風信子（ヒアシンス）

ぼくにはわからない
この花のことが
ぼくの心臓の奥壁には火の道があって、花が咲かない
ああ
季題のない魂
炎の船は
直列八気筒

金属の航跡をひいてどこへゆくのか
少年の掌のサイクルで
神の形影を嵐のように巻きながら
世界をゆく
花も燃えちまう火の道さ

今朝も
ひとりで
真夏の
葉山海岸を歩いた

持ってきた陶淵明の書物は一キロほどさきで捨ててしまった
裸体か！
異国の神々を想いながら
ふかい個人的なためいきをつく
港へ
太陽にむかって線路からとびだすトラ貨車よ
おまえは美しい
屍体について書く小説よりも
ああ
この旋律は譜面からはずれてる
ぼくは降霊術について崇高な口ぶりで書くべきなんだ
ベトナムよりも
黄金の弓をもったこの国の神々について
しかし
地球の天候は不順らしい
波のうちよせる岩に座って
ライプニッツの宇宙論に陶然とするなんて………
井上よ　岡田よ　たすけてくれ！

凶区日録もちかごろは淋しい
花も燃えちまう火の道だ
〈優れた音楽がわれわれの欲望には欠けている〉
こうなりゃ風さ
とおまえはいった
こうなりゃ下司さ
とおれはいう
学問がなんだ、女房がなんだ、オルフェがなんだ
ああ　葉山などから　ウィリアム・クライン様　ヘルマン・ブール様よ
二級酒と冥想の時さえあれば
世界全体が愛せるんだ
花も咲くかも知れん
もう錆どめ無用だ　天地無用だ
人間・不吉な生物よ　潮が満ちてくるぞ
他人へ欲望のまなざしをむけるな
魂という役にたたない空隙の電圧をあげて世界に対峙せよ
おお
すべての不可能を状況におしつける、それこそ例のヒューマニズムだ！

海
と
たましい
炎の船の
秘かにたどる金属の航跡の
気の遠くなるような円周へひたひたとよせてゆくことが自由への唯一の道
あっ
これは天退(アマタイ)のきらいなお説教調だ

海から帰って
ぼくは日記に書いた
花
ハイミナール

（詩集『黄金詩篇』昭和四五年）

サブタイトルにある「日録(にちろく)」は、日記のことである。四行目の「風信子(ヒアシンス)」は性欲の花であるが、次の行で「ぼくにはわからない」と語っていることから、性欲というより恋を避けているようだ。九行目の「季題のない魂」は、季節の移ろいにものの哀れを感じられないのである。第二連一行目の「金属の航跡」からは、クルーザーのような豪華な船が連想される。機械文明のなかを進行してゆくというイメージである。第三連四行目で、場所はリゾート地の「葉山海岸」となる。次の行で「陶淵明の書物」は捨てられる。「陶淵明」は六朝時代の詩人で、官界の汚濁を嫌って田園に閑居して、自然をテーマとした詩を書いた。ということは、自然を拒否したスタンスととれる。その次の行の「裸体！」からはギリシャ文明が連想される。一〇行目の「トラ貨車よ／おまえは美しい／屍体について書く小説よりも」は、散文詩集『マルドロールの歌』のシュルレアリスム的な美であるが、それは怪奇的な美でもある。一六行目に「ベトナムよりも／黄金の弓をもったこの国の神々」とは、ベトナム戦争の議論は迂回するということだ。この連の最後から一八行目の「ウィリアム・クライン」は、アメリカ人で主にフランスで活動した映画監督である。同じ行の「ヘルマン・ブール」はオーストリアの天才的な登山家である。芸術家と冒険家であるが、一般には知られていない。マニアックな領域への憧れの主張である。最後から一一行目で「魂という役にたたない空隙」と言いながら、「世界に対峙せよ」と言っている。イロニーとして精神論を勧めているのであろう。この連の最後の「天退（アマタイ）」は、詩人の天沢退二郎のことであるが、その二行前の「円周へひたひたとよせてゆく」ことは、この世の果てを目ざすことであり、現代社会からの離脱である。最終連最後の「ハイミナール」は、かつては処方箋なしで購入できる市販薬であったが、現在は危険ドラッグにあたる。「花」イコール「ハイミナール」であり、「花」はジャン・ジャック・ルソー的な自然への陶酔をもたらすのである。帰結として現代社会からの逃避には、諦観的ながらも自然と一体になることを提言しているのであろう。

燃えるモーツァルトの手を

吉増剛造

燃えるモーツァルトの手を見るな
千の緑の耳の千の緑の耳
生活の流星だ！（あるいは生活は悲惨だった……）と
インドから帰ってきた友人が囁いた
傷だらけの緑の耳のこと、ガンジスの黄金の空虚のこと
（悲惨だったか……）

流れる死骸の
素顔に接吻する水の牙！
波には聞えなかった千の緑の耳の千の緑の耳のことを考える
我々の伝説、我々の聞く物語には偽りが多い
見るな
見るな、悲惨な眼で
〈なにも見えない、となぜいわぬ〉

多くの友人よ
悲惨を見るな、輝くイマージュを見るな
燃える海上の道なんて見えない
愛が見えるなんて、星が見えるなんて……
ああ
燃えるモーツァルトの手を見るな
〈ガータをはずして下さい〉
〈もう旅はしませんから〉
決して振りかえってはいけないのだ
千の緑の耳の千の緑の耳の
音という音のなか
音という音のなか
音という音のなか
光が飛沫をあげて回転する
彗星がときに上空を通過する
人間がときにかたわらを通過する
日常の超宇宙性について、巨大な渦巻きについて、破壊について、創造について
手の手、足の足、風の風、運命の運命をもって

一語、一行で語らしめん
くりかえせ、くりかえせ、くりかえせ……
そして
死の爆発音
眼のなかの血管を死が歩いてゆく
一瞬を追う
そして
また星が飛びちった
空全体が日記帖だ！
ふりかえるな！

（詩集『黄金詩篇』昭和四五年）

吉増剛造

書き出しで「見るな」とあるが、そう言われると、逆に燃えあがるような「モーツァルトの手」が見えてくる。次の行の「千の緑の耳」からは、読者それぞれに何かをイメージすることが求められているが、森の中にいるような感じにもなってくる。その次の行の「生活の流星」とは、地に根をはっていない不安定な状況のことである。ここで、「友人」の話は終わり、次の次の行から場面はインドとなる。詩人の想像と詩的境地の表白がはじまる。五行目の「傷だらけの緑の耳」からは、泥まみれのインダス川の流れが連想される。七行目の「流れる死骸」は水葬の場面である。この世とかの世との境界で起こっていることを見ているようである。二四行目からの「音という音」のリフレーンは、霊的な世界へのイメージを強めている。三一行目の「手の手」から「運命の運命」までの同じ語形の連続は、形而上学的な形象となっている。「モーツァルト」の優美な楽曲にインドの民族楽器シタールが侵入して、新しいイメージが彷彿してくる。ここから新しい世界が拓けてくるのである。そこには、芸術家の熱血と古代宗教の霊気との衝突がある。現代における新たな霊的な世界の創出といえる。

オシリス、石ノ神

吉増剛造

穴虫峠トイウトコロヲ通ッテ、二上山マデ、歯ヲクイシバッテ考エテイタ。コフンナノダロウカ、コダカイ丘ガイクツカ、電車ハ、オオサカト、ナラノ県境ニカカッテイタ。コレハ墓、ト考エテ、ソシテ映画デミタ、古代ノ、エジプト人ノ、老イタ夫婦ノ姿ガ浮カンデ、ワタシニ、話シカケタ。映画デ起ッタコトガ、キョウ、イマニ立チ上ッテイタ。老夫婦ハ、話シカケタ、ワタシドモノ子ガ、一人息子ガ放蕩息子デシテ、賭事のカタに、トウトウ、私共ガ、死ンデカラ行クハズノ、墓ヲ、売ッテシマッタノデス……。

気ガツクト、私ハ歯ヲクイシバッテ、車内ニ居タ。気ガツイタノハ、電車ガ、山ヲ下リハジメ、スピードヲアゲタタメダッタ。

二上山駅マデハ、モウ、十秒カ十五秒、私ハ、別ノ境界ガ窓カラ入リ込ンデクルノヲ認メツツ、大急ギデ、ボールペンヲ走ラセタ、ボールペンヲ走ラセテイタ。

一人駅員ノ駅ヲ出テ右ニ折レルト、二上山ガ前ニアル。

コレハ、縁ノフタツナル山、頬ヲ染メ、ソノ柔カナマルイ山、囁イタノハエジプト人夫婦ナノカ私ナノカ判ラナイ、オシリス、オシリス、トイフ、女（?）、カミガ、路傍ニ、イタ。

不思議ナコトダ、死後ノ住居マデモ、放蕩息子ニ、売リ払ワレテシマッタ、ソノフタオヤ（親）ハ、悲シンデハイナカッタ。

死後ニ、行ク処ガナクトモ、モオ、イイノデス。ソシテ、私ノナカノミチヲ岩壁ニソッテ、歩イテ行ッタノダッタ。

道端（ミチバタ）デ、タクシー待チヲシテイタノカ、若イ、デモ、薄イムラサキノブラウスダッタナ、オンナニ、アノ、フタエマブタノ、美しい山ガ、二上山ナノデスカ……ト訊ネテ、笑ッタ。ソシテ、スコシ話ヲシテ、ソコカラ、駅ニモドッタ。

モオイイノサ。

私コノ土地ノ者ジャナイノデス。

オシリス

薄イムラサキノブラウスダッタ。

美しい山

細イ下リノ道ヲ降リテ、駅マデ歩イタ。次ノ電車マデ、三十分クライ時間ガアル。一人駅員ガ、近所ノ人ラシイ、女ノ人ト話シテイル、オ金ノコト建テタ家ノコト、聞きナガラ、私ハ、踏切リニ下リテ、見ラレナイヨウニ、石ヲ二ツヒロッタ、ヒロッテ、急イデバッグニ入レタ。

ホームヲ、向ウ側ニ、渡ッテ、木製ノベンチ、屋根ツキノベンチニ、腰掛ケテ、書キハジメルト、緑ノ柔カナ美しい山ガ、覗イテイル。ソコニ座ッテ、マタ、一心ニ書キハジメテイタ。

気ガツイタノハ、電車ガ山ヲ下リハジメ、スピードヲアゲテ、入ッテ来タタメカ、アワテル、持物ヲツカンデ、車内ニ入ロウトシタガ、木製ベンチガ離レナイ、背広入レノ吊リ金具ガ、木製ベンチノ隙間ニ入ッテ、ヒッカカッテシマッタノダ。

気ガツクト、木ハ折レテ、立ッテイタ。力ヲ入レテ、車内ニ、駈ケコムト、窓ノ向ウノ木製ベンチノ木ハ折レテ立ッテイタ。木ガ折レテ、立ッテシマッタ。

怒ルヨウナ感情ニ襲ワレテ、ソノタメニ、一人駅員サンノ、駅ノ景色ガ、水中ノ幻境ノヨウナ光（景色？）ヲ残シタ。

歯ヲクイシバッテ書イテイタノハ私ダッタ、木ガ折レテ、立チ上ガッテイタ。

フタタビ、古代エジプト人の、老イタ夫婦ノ聲ガ聞コエテ来タ。

モウイイノデス、私共ノ放蕩息子ガ……、
薄イムラサキノブラウスダッタ。
美しい山。

私は語り手なのだろうか。座席ニ坐ッテ、(二上山駅ノ木製ベンチに、腰掛けていた)私？

（あるいは誰かが）坐っている姿は誰？


木ガ折レテ、立チ上ッテイタ。

ソノ周リヲ、蛇ガ廻ッテイタ。石ヲ二個、腹ニノンデ、静カニ、蛇ガ廻ッテイタ。

（『オシリス、石ノ神』昭和五九年）


題名になっている「オシリス」は、エリオットの詩「荒地」の着想の一つであり、古代エジプト神話の再生の神である。エジプトの王であったオシリスは弟のセトに殺され、バラバラに切り刻まれてナイル河に放り込まれたが、妻のイシスがそれらを拾い集めてつなぎ合わせると、再生して冥界の王者となった。題名「オシリス」は再生ということを表象しているとともに、霊的な世界観を強調している。ここでの再生については、人間性をとり戻すことにあたるのであろう。また、「石ノ神」は奇石・霊石を神とするアニミズムであることから、題名の「石ノ神」からは、アニミズムをもテーマにしているということだ。

カタカナ書きでの基調には、霊的な領域を感じさせられる。四行目でエジプト人の老夫婦に話しかけられる。語り手は車中に居るのであるが、場面は野外のようである。夢幻のなかでの出来事である。四次元的あるいは霊的な空間に瞬間移動したともいえる。一七行目の「死後ニ、行ク処ガナクトモ、モオ、イイノデス」は、無の境地ともいえるが、現世に戻ってくる意志の表明ともいえる。同じ行の「私ノナカノミチヲ岩壁ニソッテ」は、「私」のイメージ空間の中の「ミチ」ということであろう。最後から一四行目に「木ハ折レテ、立ッテイタ」とあるが、それは直前まで腰掛けていた「ベンチ」であった。背もたれのない板の長椅子であるが、六行前には「屋根ツキノベンチ」とある。「屋根」は支柱でささえられ「ベンチ」とは別々なのであろう。意味はなく「木ハ折レテ立ッテイタ」ことはダダイズム的といえるが、夢幻の中の出来事であることからはシュルレアリスム的ともいえる。霊的な力が見えてくる。事件性といったドラマはなく、淡々と別次元的な空間が進行している。シュルレアリスム的な現実と想像上の霊界の中間的な領域である。

八―四　モダニズムからの内面探求の抒情詩

佐々木幹郎は昭和二二年、大阪府藤井寺市に生れた。同志社大学文学部を中退した。羽田闘争で死亡した友人を追悼した第一詩集『死者の鞭』を、昭和四五年に刊行した。昭和五九年、ミシガン州立オークランド大学客員詩人。昭和六三年から数回にわたりヒマラヤの山岳地帯を旅した。日本文学をネパールに紹介する「ヒマラヤ文庫」（平成三年～七年）を日本とネパールの詩人とで創設する。中原中也研究の第一人者として知られている。

血の霧

佐々木幹郎

稲が倒れる
葉鶏頭が倒れる
電柱が倒れる
自転車が倒れる
手拭一本
風が止まったままの
記憶の血栓が抜かれるあたりの
濃密な空気に胸をつまらせて
動かない　動かないままに

リボンを結んだ子供達が
縄飛びをしている広場があり
縄飛びをしているリボンの上の
空の上に
汚れたコイノボリが口を開けて何かを
懸命にこらえているのだ
こらえているのか?
風が止まった
夢の雑木林のふちで
魚の目が赤い汁を流し
買物袋の底にしがみつき
忘れられている薄いサービス券の
一枚のふちどりのように
涙が倒れる
へちまが倒れる
どんぶりが倒れる
胃袋が倒れる
風呂敷一枚

これは平面だね
平面が全てを包むだけだね
どんな形にもなってぶらさがる
路地を曲ると
自分の尾ばかりしゃぶる猫がいて
その闇の
その手が掴む
歌などない

人通りはなかった
どこにも抜け道はないようだった
雪が舞ってきた
男は女の顔を見た
あくびをしていた
恐怖にかられて
ふいに思い出した
「ぼくはぼくについていえば
血の霧をとおしてぼくの望遠鏡を

つくろうと思っている」＊
血の絞り　染められる手首の先で
胸に火がつく
火が足につく
どこからでも燃えやすい身体になって
男は女の首をしめた
笑いながら
色とりどりのバケツが
夜の坂道を転がっていった。

＊ヴァルター・ベンヤミン「書簡」より
（詩集『気狂いフルート』昭和五四年）

題名「血の霧」からは、人間性の探求というテーマが感じられる。一行目からの「倒れる」のくり返しにより、日常で目にするものを平面化して、図案化している。七行目の「記憶の血栓が抜かれる」ということは、この後は回想となる。一五行目の「こらえている」は、人それぞれに挫折があったということであろう。二三行目からの「倒れる」のくり返しは、日常の裏側を図案化している。第二連はドラマ仕立てであり、その八行目からの三行は社会学者のベンヤミン「書簡」からの引用であるが、そのなかの「血の霧をとおして」は、人間性の渾沌を覗くことであろう。最後から四行目の「男は女の首をしめた」は「首をしめようとした」ということで、男の独占欲の暗喩であり、そうしたいという感情表現である。最終行の「坂道を転がっていった」は、独占欲の結末である。

佐々木幹郎

モダニズムのとりわけ主知主義は、外部を認識するあるいは対峙することで思想を生みだす方法であり、外部とは、社会情勢や制度・政策や経営方針、あるいは時代に支配的な文化芸術・思想哲学などである。ポスト戦後詩では外部は日常の範囲へと戻っている。日常の生活や風景の場で、現実とは〝ずれ〟のある行動や事象がくりひろげられている。この〝ずれ〟の中に、現実の根底や裏側が見つけだせるのである。〝ずれ〟とは、言葉を通常の意味からずらすことでもあるが、そこでは新しい内容や斬新なイメージが生成される。また、意味のずれた言葉の投入による非現実や非日常の中に、真相を見出せるのである。

八―五　ポスト戦後詩とは何か

六〇年代に登場した詩人は、直接的な戦争体験の苦痛は希薄な世代で、むしろ彼らの年代を特徴づけたのは、二〇代前半で遭遇した六〇年安保闘争の混乱であった。彼らの六〇年代の詩は、ポスト戦後詩にあたり、シュルレアリスムの人間性を解放した夢幻の境地、あるいは主知主義の現代への反駁（はんばく）を暗喩でのイメージで突きつける新境地などからは離脱しながら、過激なあるいは意味不明的な行為や事象の連続により、これまでと違った価値観の思想をきり拓いたといえる。ここでは戦後詩を代表する「荒地」グループがきり拓いた暗喩の方法も拒否されている。イメージとイメージが衝突して火花を放ち、言葉は意味を伝えることを拒み、不気味で不安な空間を立ち上げている。詩とデタラメの境界域に存在しているともいえるが、それがラディカリズムであった。「ラディカル」とは、ラテン語で「根」の意味をもつ語 radix に由来していて、「急進的な、過激な」または「根本的な」などの意味がある。

「荒地」と「列島」の詩法を引き継ぎ、あるいは否定して戦後詩を発展させた谷川俊太郎、吉岡実、大岡信、長谷川龍生、入沢康夫などの戦後詩として完成した詩法から脱却して、詩の原理を追求しはじめたのである。暗喩のイメージやシュルレアリスム的な抒情やアレゴリーの社会批判ではなく、言葉とリズムの喚起力に代表されるような、言葉から意味以上のことを引き出すことで、社会の潮流から抜け出して、詩人としての自立を得ようとしたといえる。そこには言葉が意味から切り離されるという、ダダイズムと重なるところがあった。意味に拘（こだわ）らないということは、現状の社会に抵抗する、あるいはのり超えることなのである。政治の昏迷や学園紛争などを言語空間でアレゴリー的に再現することで、その実態を認識するとともに、そこから霊的な世界へと突き進んだ。

現代詩はどんどん難解になっていったということは、目にした現実やニュース・新聞での知見をベースに詩のテーマや詩句の意味を分かろうとするから、分からなくなることによる。読者は意味を分かろうとするのではなく、読者に喚起された芸術的や人間オリエンテッド的なイメージを文化芸術論的や人生論的なものに変換すればよい。また断片的なストーリーでは、読者は意味を考えるのではなく、意味のあるストーリーに仕立て上げればよい。

《参考文献》

茂原輝史・編：國文學　現代詩の一一〇人を読む、學燈社、一九八二
天沢退二郎：天沢退二郎詩集、思潮社、一九六八
吉増剛造：吉増剛造詩集、思潮社、一九七八
吉増剛造：オシリス、石ノ神、思潮社、一九八四
佐々木幹郎：佐々木幹郎詩集、思潮社、一九八二
和田博文・編：近現代詩を学ぶ人のために、世界思想社、一九九八

九　ポストモダニズム

九―一　ポストモダンとポストモダニズム

一九七〇（昭和四五）年代に資本主義と社会主義は成熟期にはいり、一九八〇（昭和五五）年代頃からは資本主義先進国では高度消費社会・情報化社会へと進展した。社会の仕組みはコンピュータシステム化され、さまざまな製造工程はロボットに、事務はIT（情報技術）に、頭脳ジョブはAI（人工知能）にとって代わられるにともない、衣食住への欲望はマイナー派となり、便利さとサブカルチャーに満たされた生活への渇望がメジャー派となった。その結果の一つとして、マルクス主義は理論的に曖昧なものとなり、一九九一（平成三）年にソビエト連邦が崩壊した。この社会の潮流がポストモダンである。ポストモダンを哲学的に定義したのはフランスの哲学者・リオタールとされていて、「大きな物語の終り」の語句でその状況を解き明かしている。「大きな」は社会や世界を意味していて、人類全体にわたる理想を目ざすということで、直接的にはマルクス主義を指すとされている。革命などで理想を追求することは現実的ではなくなってしまった。ということは、社会や世界を全体的に理想に近づける原理や理論は存在しないといえるようになってしまったのだ。情報の氾濫にさらされ、エンタテーメントに包囲された社会、他方、世界的に貧困層は増大している情勢においては、共通の人生観や価値観をもてないということでもある。「小さな物語」すなわち「個別の物語」の時代に突入したのである。方向性を失った状況では、もはや戦後詩もポスト戦後詩の詩法も、終わりを告げようとしている。

最後の大哲学者ともいわれているデリダの脱構築は、ポスト構造主義の中心的な理論であるが、それは哲学などの体系は前提に誤りがあり、再構築すべきということである。ポストモダンの根底は、この脱構築で論断される。ソビエト連邦の崩壊や階級だけでなく地域での格差拡大などから理想とは言葉でつくられたもので、実際には無いことが分かってきてしまった。理想があるという前提に理論化されたマルクス主義は成立しなくなったことになり、この意味では、キリスト教、ヘーゲル哲学も成立しなくなった、と哲学的には考えられるようになってしまった。理想ではなく欲望を追求する時代に入ってしまったのだ。

ポストモダンの社会の実態や文化芸術の意義・様式を批判し、のり超えようとする方策がポストモダニズムである。その方策は哲学のスタンスと文化芸術のスタンスでは違ったものとなっている。哲学ではポストモダニズムといえる明確な方式やスタイルはない、ともいわれている。美術でのモダニズムは、詩においてと同様に社会性・政治性・哲学性を追求したものへ推移したが、ポストモダニズムにいたっては、写真が大きく進出し、また工業製品の形象が多く用いられるようになった。ゴッホ的な田園の風景は身近にはなく、工業製品があふれる時代、その工業製品の形象や色合いを芸術へと転換することが推し進められたのだ。現代詩におけるポストモダニズムは、モダニズムを最良の方策とはせずに、古典主義、ロマン主義、象徴主義、モダニズムなどを、欲望が優先した社会状況に対応した新しいスタイルに変容させることを目ざしている。

九―二　オーソドックスなストーリーのポストモダニズム

荒川洋治は昭和二四年、福井県三国町に生れた。早稲田大学第一文学部在学中の昭和四六年に第一詩集『娼婦論』を刊行して注目された。昭和五〇年に刊行した第二詩集『水駅』で、H氏賞を受賞する。青山学院大学、早稲田大学の教壇に立った後、愛知淑徳大学教授となる。荒川自身は詩人ではなく〝現代詩作家〟を名のっている。

水駅

荒川洋治

妻はしきりに河の名をきいた。肌のぬくみを引きわけて、わたしたちはすすむ。
みずはながれる、さみしい武勲にねむる岸を著けて。これきりの眼の数でこの瑞の国を過ぎるのはつらい。

ときにひかりの離宮をぬき、清明なシラブルを吐いて、なおふるえる向きに。だがこの水のような移りは決して、いきるものにしみわたることなく、また即(す)ぐにはそれを河とは呼ばぬものだと。

妻に告げて。稚(わか)い大陸を、半歳のみどりを。息はそのさきざきを知行の風にはらわれて、あおくゆれるのはむねのしろい水だ。

国境、この美しいことばにみとれて、いつも双つの国はうまれた。二色の果皮をむきつづけ、わたしたちはどこまでも復員する。やわらかな肱を輓(ひ)いて。

青野季吉は一九五八年五月、このモルダビアの水の駅を発った。その朝も彼は詩人ではなかった。沈むこの邦国を背に、思わず彼を紀念したものは、茜色の寒さではなく、草色の窓のふかみから少女が垂らした絵塑の、きりつけるように直ぐな気性でもなかった。ただあの強き水の眼から、ひといきにはげしく視界を隠すため、官能のようなものにあさく立ち暗んだ、清貧な二、三の日付であったと。

水を行く妻には告げて。

（詩集『水駅』昭和五〇年）

昭和三三年の「青野季吉」の「モルダビア」旅行を題材にした、仮想の夫婦旅行である。「モルダビア」は現在のモルドバである。モルドバはウクライナとルーマニアに挟まれた黒海西側の内陸国で、平成三年に旧ソ連から独立。東にドニエストル川、西にドナウ川の支流であるプルート川が流れている。語り手の詩人にとっては、旅行が空想のストーリーであっても、青野季吉のモルダビア訪問は史実にもとづいている。

第二節一行目の「著けて」は、「付けて」であり、戦場であった川岸に沿って水が流れている風景なのである。同じ行の「これきりの眼の数で」は、川の流域しか、見学できなかったということであろう。第三節一行目の「シラブル」は、「音節」であるが、風景の変化が見えてくる。この節の二行目の「即ぐには」は、すなわちということであろう。第四節一行目の「知行の風」の「知行」は、領地を支配するという意味と、知り行う、とをかけている。悪政も善政もあったということである。知的で古風な雰囲気をかもし出している。第五節一行目の「この美しい」は、国境とは戦争や紛争の原因となってきたことからイロニーである。次の行に「復員する」の硬い表現が、緊張感をかもしているが、「復員」は兵役をとかれて帰省することであることから、自然の風景のなかに平和を感じながら旅行をつづけることなのであろう。

社会主義国からは唯物論が立ち上がるが、辺りは優雅に水が流れる田園風景である。この対比のイロニーは、社会主義への批判ととれる。青野は著名なプロレタリア系文芸評論

荒川洋治

家であるが、語り手の詩人は社会主義者ではない。最後から六行目の「彼は詩人ではなかった」とは、社会主義批判ととれる。社会主義を暗黙のうちに批判するとともに、人間性の欠如を糾弾している。次の行の「紀念したもの」は、想い出となったものはということであるが、現地の貧しい生活の様子が、想い出となったようだ。社会主義と水の優美な流れとの対比のイロニーといえる。マルクス主義は、ロボット・AI・ITなどによる産業構造の革新に適合できなくなり、時代遅れともいえる古典的な理論となってしまっている。将来への希望を政治体制には見つけ出せずに、素朴な人間性や自然崇拝に光明を見出しているのであろう。

見附のみどりに

荒川洋治

まなざし青くひくく
江戸は改代（かいたい）町への
みどりをすぎる

はるの見附
個々のみどりよ

朝だから
深くは追わぬ
ただ
草は高くでゆれている

妹は
濠ばたの
きよらかなしげみにはしりこみ
白いうちももをかくす
葉さきのかぜのひとゆれがすむと
こらえていたちいさなしぶきの
すっかりかわいさのました音が
さわぐ葉陰をしばし
打つ

かけもどってくると
わたしのすがたがみえないのだ
なぜかもう

暗くなって
濠の波よせもきえ
女に向う肌の押しが
さやかに効いた草の道だけは
うすくついている

夢をみればまた隠れあうこともできるが妹よ
江戸はさきごろおわったのだ
あれからのわたしは
遠く
ずいぶんと来た

いまわたしは、埼玉銀行新宿支店の白金(はっきん)のひかりをついてあるいている。ビルの破音。消えやすいその飛沫。口語の時代は寒い。葉陰のあのぬくもりを尾けてひとたび、打ちいでてみようか見附に。

（詩集『水駅』昭和五〇年）

題名の「見附のみどりに」の「見附」は、東京都港区赤坂三丁目と千代田区永田町二丁目付近の赤坂見附のことである。かつては枡形の城門の外側に面する場所のことであり、江戸城には三六の見附があったとされる。そもそもは、街道の分岐点など交通の要所に置かれた見張り所（見附）などに由来している。書き出しから二行目の「改代町」は、新宿区北東部に位置している。第三連の後ろから四行目の「ちいさなしぶき」は小用である。第四連二行目で「わたしのすがたがみえないのだ」とあるが、夢の中のストーリーなのである。最終連の散文で唐突に「埼玉銀行新宿支店」が出てくるが、荒川洋治のエッセイ「銀行の詩」によると、西側の江戸がつきるのが埼玉銀行新宿支店辺りということである。彼はこの建物より東が江戸で、西が東京と見なした。次の行の「口語の時代は寒い」とは、合理主義に代表される現代の価値観へのアレゴリーである。エロティシズムはあるが、詩的な奇抜さや抒情的な美はない。江戸の昔の風土と精神に人間的な価値を見出しているのである。ドラマはなくエッセイ的な語りであり、素朴さに根ざした平和の提唱といえる。新しい幸福感の提言でもある。

ザクセン地方の林地村図・ほか

荒川洋治

ドリアン・グレイという名の小さな猫の目を引き寄せて
虎の青さをのぞいている
「ザクセン地方の林地村」にも

「北ドイツ平野の円村」にも
吹いているのは
私解をはばむ
金色の風だが
わたしたちがむねをあわせる
この
日本の
納屋集落は
しずかな夕日でいっぱいだ
「トンキンデルタ南部の湿地村」でも
「房総半島の岩浜集落」でも
やさしいいわしのイメージが
子どもの肺のなかにしのんでいるが
この新子安の新しいランドリーのまえでは
季節はどんどん禿げている
ハチャトウリアンよ
一斉の作者よ
わたしたちは

うすい地表の上に
かたはばのしずかな座をなして
楕円針のきしりからいま
世のあらましを聴いている

（詩集『荒川洋治詩集』昭和五六年）

題名にある「ザクセン」は、ザクセン王国のあった地域で、この国は一八〇六年にナポレオンの圧力で成立したライン同盟に加わり王国となった。ナポレオン戦争の最大の激戦地となったライプチヒは、この国の領内であった。ライプチヒの合戦では、ザクセン王国はプロイセン、オーストリア、ロシアなどの連合軍側に寝返ることで王国として存続できた。また、ゲーテがライプチヒに遊学したことでも知られている。書き出しの「ドリアン」は、マレー半島原産の常緑高木で、棘におおわれた果実はきわめて甘い。二行目の「虎の青」は、次の行の「ザクセン地方」の荒涼とした風土の暗喩である。「ザクセン地方」はドイツ北東部の厳しい自然のなかにある。六行目の「私解をはばむ／金色の風だが」については、個人的な感懐ではなく、歴史からの教訓や重圧がふくまれているということだ。

一三行目の「トンキンデルタ」は、ベトナム北部地方にあり、中心都市はハノイである。素朴であることへの讃歌といよう。次の行の「房総半島の岩浜集落」の「岩浜」については、南房総の白浜町には名所になっている屛風岩という洗濯板状の岩浜海岸がある。「岩浜集落」からは白浜が思いあたる。伊豆で挙兵した頼朝が石橋山で敗れたとき、真鶴から船出して安房に上陸したとされている。現在の南房総の鋸南(きょなん)町辺りである。白浜町と鋸南町は南房総という同じエリアであることから、この史実を回想しているのであろう。一七行目の「この新子安の新しいランドリーのまえでは」は、都市化への懐疑である。最後から七行目の「ハチャトウリアン」は、二〇世紀中期のソビエト連邦の作曲家で、「仮面舞踏会」などを作曲している。最後から二行目の「楕円針」はレコード針のことであるが、「仮面舞踏会」の郷愁のメロディーを奏でている。歴史と重ね合わせる手法は、エリオットの詩「荒地」が底流にあるといえるが、ここでは戦乱の歴史の上に平和が築かれていることをイメージ化している。

九―三　ポストモダニズムとは何か

平成一年の詩集『泪が零れている時のあいだは』から一三年のブランク後の平成一四年に、長谷川龍生が刊行したのが、詩集『立眠』である。この間の、平成一年（一九八九）年一一月にベルリンの壁は撤去され、平成三年にはソビエト連邦が崩壊した。詩人の平林敏彦は、『立眠』の冒頭の二篇については、苦言を呈している。

しかし、詩集『立眠』の巻頭に置いた「賢慮、生きる流浪とは」はあまりにも観念的で彼らしくない。「二十一世紀を克服するために」などと注釈を付されると、おいおい大丈夫かよとシラケる。抹香臭いお説教はごめんだ。それに比べて「立眠」には龍生の顔が見え隠れするが、まだ面白くない。宗教や哲学が幅をきかせ、詩を押し潰している。
(『現代詩手帖　第45巻・第7号』)

しかしながら、この二篇につづく詩については頂点を極めていると、讃辞をおくっている。

そうした風潮を見れば、七十四歳の龍生が出した詩集『立眠』には人間が生きるための根源的な力が溢れている。私は冒頭の二篇に疑義を表明したが、「戸をたたく歌」に続くすべての詩に言い知れぬ感動を覚えた。その多くは世界の歴史に関わるさまざまな時代の人物や事実、あるいは博物誌的知識や好奇心、旺盛な想像力を駆使して創り上げたドラマとも言うべき独特な長詩で、恐らく寓意性や虚構を巧みに織り混ぜながら「人間の運命」を炙り出す。
(前出)

長谷川龍生の詩法とスタイルは、社会批判と人間不信のモダニズムであることからは、冒頭の二篇には違和感があるといえるが、不連続的な遷移といえる。こうした思想哲学的や宗教的な直截的な語りは、現代人への啓示をもたらしているといえる。この二篇について、読解してゆくことにする。次の詩は『立眠』の序詩である。

賢慮、生きる流浪とは――二十一世紀を克服するために

長谷川龍生

なつかしい人びとに
出会う　見つめる　触れあう

見知らない人びとに
出会う　見つめる　触れあう
ごく自然に　花と草と樹を賞でるように

本能を深めていく
ゆったりと　若水（わかみず）を護る
本能の輝きを　さらに照射していく
ゆったりと　すくい上げる　自己認識
ごく自然に　井戸の釣瓶（つるべ）をひき上げるように

感性を磨いていく　鋭く　広く
些事をすてて　物欲をきらって
感性の大いなる旅路の果て
モノの形　曲線　曲面　放物線の　不思議
ごく自然に　雲のかたまりの裏がわに廻り込むように

群集にまぎれこんでいく
共同体に吸いついて　考える

小衆　大衆　付和雷同の歩みに杭を打つ
孤独を避ける　つねに連帯への足がかり
ごく自然に　日を追う季節風が吹くように

想像力を取りもどしていく
地上の隅々　宇宙の一角一角に
想像力を樹てなおしていく
愛のために　人びとを愛する方向への自立
ごく自然に　街で出会った異性に話しかけるように

歴史を読み直していく
虚飾をはぎとり　疎外態に抵抗する
歴史を一つ一つ洗い直していく
見えない裏影を明確に　見える物体として
ごく自然に　おびただしい棄民の他者体験に成るように

ひと日　いずれかで茶をすする
ひと日　火を借りてかき餅をあぶる

遠くに立つ賢慮の者と　直観の者を見つめる

（『立眠』平成一四年）

書き出しの「なつかしい人びと」は、この詩の全体的な内容から、理性を信奉する古典主義者といえる。第二連一行目の「本能」は動物的な欲望ではなく、仏教的な「無」の境地である。次の行の「若水を護る」とあるからである。「若水」は元旦の朝に初めて汲む水で、一年の邪気を除くとされている。この連の「ゆったり」のリフレーンからも、仏教的な大らかさが立ち上がってくる。第三連一行目の「感性」は、文化芸術に対するである。この連の四行目、「曲線　曲面　放物線」は、自然界にも幾何学上にも存在するが、形状として美的であるだけでなく強靭でもある。第四連一行目の「群集」からは、ボードレールの散文詩「群集」が連想される。そこでは感情移入によってさまざまな人といれ代わっている。集団のなかで個性的に生きることを提言している。この連の四行目の「連帯」からは、労働組合が浮かぶ。ブルーカラーはマイナー派となり、組合活動は衰退したといえ、消滅することはない。個性的とは一匹狼のことではない。第五連一行目の「想像力」は、文化芸術と科学技術の深化のためには想像が欠かせない、ということである。この連の四行目の「愛のため」は、芸術至上主義への戒めであり、また仏教の理念である「万人の救済」でもある。第六連一行目の「歴史」は、国家興亡と戦争の歴史であろう。この連最終行の「棄民」は国家から見捨てられた難民のことであるが、「他者体験に成る」は受難を他人ごとにしないことである。最後の連最終行の「賢慮の者」は、哲学者であり、「直観の者」はリアリズムの詩人ということであろう。日常に埋没することなく思索と行動をくり返してゆかなくてはならない、と提言している。

序詩であり、詩への親しみをもたらすとともに、詩の啓示的な力を伝えている。モダニズムには反しているが、人間性や人生観がにじみでている新鮮さがある。目新しい商品が欲望を満たし、映像・図表やアニメ・コミックを中心とした情報やサブカルチャーの渦に自分自身を見失っている人びとへの警句である。奇怪なフィクションの展開や事物・事象のコラージュに頼りすぎているモダニズムへの警鐘でもあるが、これはポストモダニズムともいえる。詩人の戦場は、社会の矛盾に病んだ現場および人びとの仕事と生活の場であったはずであるが、この詩はそのエリアから外れている。合理主義・物質主義とサブカルチャーを拒否した古典主義に立ち戻っている。

立眠

水のただよいの上
むすうの「無」が居る
「無」の魔に目ざめた蜃気(しんき)の　わが五体に
ささやかな鞴(フイゴ)のひびきがしている

鈴木大拙という禅人から　離れついでに
ひきかえしていく討たれの旅路
短いまぼろしの逆断の道のりは　冬の箱車
きょうは　襟をつめて　水にひかれた

むすうの「無」　かきまわし
水をながした
ま裸の「久米舞」とは　野生の演技であったものか
神剣があらわれるまえは　具は一挺の斧
素手のこぶしで　水をはじく
「虚も尽きる」　空海が言った
五体の骨が　相撲の手で揺りもどし
こころなく　笑う

——略——

運命のなかに余白をのこせと　詩人が言う
わが運命は　使い切ってはいない

ときめきのまえに　うちすてることもある
余白の発見は「無」を見つめるのにつらなる
燃えさかる一筋一筋の血脈のうごき
血粒が　青いワタリ蟹になって　移動する
卵体がはじけて　はじめて天と地のあいだに不動の静けさをつくろうとしている
明日は　明日なのだ　それが

水のただよいの上
むすうの「無」が居る
水にひかれて　究め憑かれること
究め憑かれて　立眠に入る

（『立眠』平成一四年）

長谷川龍生

二行目の「むすうの『無』」は、多様性の時代に入ったことを示唆している。四行目の「鞴のひびき」からは、形而上学的な空間が立ち上がる。五行目の「鈴木大拙」は、禅といえば鈴木大拙、鈴木大拙といえば禅とまでいわれている国際的な禅の大家である。次の行の「ひきかえしていく」

は、俗世に戻ることである。この連の後ろから二行目に「逆断の道のり」とあるが、「逆断」は逆断層のことで、登山路での岩場では庇が重なったような状態で、登下降が厄介である。「道のり」は詩人としての活動である。同じ行の「箱車」からは、労働者の姿が浮かぶ。「無」へ到達できないもどかしさである。

第二連の三行目の「久米舞」は、古代から伝わる宮廷舞である。古代からの舞は「無」に通底している。六行目の「虚も尽きる」は、空海の「虚空尽き 涅槃尽き 衆生尽きなば我が願いも尽きなむ」からの一句である。すべてが尽きたとき、「我が願い」は成就するということであるが、救済への執念である。最終行で「笑う」とあるが、「我が願い」は大望でなくともよいのであって、健康を願うなどの身近なことでもよいのである。

最後から二連目の最初の行の「余白」は、遊びということになるが、金銭や社会的な地位に係わらない時間とも、また文化芸術の探求ともとれる。同じ行の「詩人が言う」は、語り手の独白を遠回しにしている。この連の後ろから三行目の「青いワタリ蟹」、横歩きで目立たないが、それも「無」につながる。後ろから二行目の「卵体」は、新たな生命であり、新生への祈りである。最終行の「明日は」には、詩的な祈りを込めている。

最終連の後ろから二行目の「憑かれる」は、霊魂がのりうつることである。「無」の霊的な世界に参入し、そこで「立眠に入る」のである。社会改革の意気込みに、終焉はないということであろう。合理主義・物質主義とサブカルチャーの呪縛に対抗するのが、「無」の境地への修行である。

一九世紀に資本主義が急激に発展するにともない人間性の喪失が深刻化していった。それをのり超える方策として、哲学では死で終焉する人生を、社会の発展に重ね合わせることで、自らの不滅を得ようとするヘーゲル的な絶対知が信じられるようになったが、詩においては象徴主義が創出する形而上学的や宇宙的な空間と合一することで、永遠を感得するなどが試みられ支持された。

一九一四（大正三）年に勃発した第一次世界大戦は、国民を総動員する近代戦争のはじまりでもあった。大量の非戦闘員まで巻き込むこのような戦争を否定するためにモダニズムであるダダイズム・シュルレアリスム・主知主義が台頭した。このモダニズムは近代思想と合理主義・物質主義などを批判し、改新を推し進めようとしたにもかかわらず、第二次世界大戦へとなだれ込んだ。わが国では一九四五（昭和二〇）年の終戦とともに、戦争への反省と厭世観を表白するとともに、近代思想や近代化の批判をくりひろげるヨーロッパ流のモダニズムを志向した詩が、戦後詩としてスタートした。終戦から一〇年後の、このようなことから脱却した詩も戦後詩とされるようになった。そして、一九六〇（昭和三五）年代からはポスト戦後詩の時代となった。

一九八〇（昭和五五）年代から大量消費社会となり、ポストモダンの時代となった。大量の工業製品と情報に民衆は呑み込まれ、何か満たされている気分になっていった。そして現代詩というよりは文学は、コミック、アニメ、ゲームなどのサブカルチャーに押され、文化芸術における存在感を失っていった。現代詩は、難解になりすぎただけでなく、イメージ優先になりすぎたことで、イメージにこだわるサブカルチャーの領域とまともに競合することになってしまい、一段と地盤沈下を引き起したといえる。そのような状況に対抗しながら止揚するために、ポストモダニズムではシュルレアリスムの奇怪な行為や事象を逆転させて、オーソドックスなストーリーをくりひろげる、あるいは主知主義のアレゴリーやコラージュなどの技巧ではなく、古典哲学的な理想、芸術の浄化作用、宗教の無欲と救済などを直截的に語ることなどが断行されている。そこでのオーソドックスなスタイルは、説教じみていても、詩情(ポエジー)と一体となった語りは、思想の再発見につながるに違いない。労働はさまざまな職種に分化され、社会的階級は複雑に分かれ、人びとの価値観も多様化した社会だからこそ、古典主義的な箴言・警句で、あるいはリアリズム的に日常や風景や史実の中に芸術性やヒューマニズムを見出すことで、外部の呪縛に囚われない人間性をとり戻すことが進行している。

《参考文献》

ジャン・フランソワ・リオタール/小林康夫・訳：ポスト・モダンの条件―知・社会・言語ゲーム、書肆　風の薔薇、一九八六
本上まもる：〈ポストモダン〉とは何だったのか、ＰＨＰ研究所、二〇〇七
菅原教夫：やさしい美術　モダンとポストモダン、読売新聞社、一九九二

荒川洋治：荒川洋治詩集、思潮社、一九八一
長谷川龍生：立眠、思潮社、二〇〇二
小田康之・編：現代詩手帖　第45巻・第7号、思潮社、二〇〇二
和田博文・編：近現代詩を学ぶ人のために、世界思想社、一九九八
三浦雅士・編：ポストモダンを超えて、平凡社、二〇一六
高田明典：知った気でいるあなたのためのポストモダン再入門、夏目書房、二〇〇五

一〇　モダニズムとは何か

文学においてモダニズムという言い方が使われはじめたのは、第二次世界大戦後になってからである。詩のモダニズムは、古典主義の箴言・警句・哲学的表白、ロマン主義の抒情美・自然讃美、象徴主義の形而上学的な境地・コスモス的空間、リアリズムの現実直視・真実探求などをつき崩すことを推し進めた。方法としてはフォルマリズム、イマジズム、ダダイズム、シュルレアリスム、新即物主義、主知主義などがある。フォルマリズムは造形的や記号的な表現を目ざした。イマジズムは一九一三年にE・パウンドが提唱したもので、音楽性より絵画性に重点をおき、表象に寄与しない言葉は使わないとする方法であった。新即物主義は建築美学から出発したもので、形態の客観性を詩情へと高めることを目ざしていた。ダダイズムから主知主義に向かうにつれて近代社会の批判と合理主義・物質主義の打開がテーマとなってゆく。シュルレアリスムについても、無意識や深層心理を表出するとともに近代社会における人間疎外の打破と人間性の解放を目論んでいた。

詩のモダニズムの起源は大きく二通りがあり、ボードレールの象徴主義とツァラのダダイズムとがある。ボードレールを起源とする説は、西脇順三郎が提唱している。現実を一旦魂の吸収に適する様に変形して表現することを、超自然主義でもある超現実主義とした。

この詩的変形方法に、遠い関係のあるものをつなげることなどがある。それはイロニーにでもあるという。例えばボードレールの詩「髪」では、愛人の髪のなかに海を出現させるというイロニーをくりひろげている。小さなエリアに無限をいれ込むこのようなイロニーも、西脇のモダニズムなのである。これは芸術志向のモダニズムであった。そこでは芸術表現に知的フィクションを加えることで、新しい境地を目ざしたが、それは精神の安息や芸術的境地をもたらすものであった。しかし、二〇世紀にはいっての社会の渾沌と狂気にたいしては、それだけでは充分な救済の役割を果たせなくなっていた。そこで、モダニズムは近代社会の批判と新しい思想の創出を推進するものへと発展するにいたり、これが詩のモダニズムの本流となった。

物質主義や拝金主義の横行、二つの世界大戦の勃発は、近代国家の成立や産業・資本主義経済・科学技術の発展にともなってのことであった。このような過程のもとに起こった日露戦争は、近代戦争の前哨戦であった。その九年後の第一次世界大戦では戦争の形態は、国家の生産力を総投入し国民を総動員することになった。これが近代戦争であり、科学技術がフルに活用されるようになった。この事態の根底には近代思想と近代化があった、と考えられるようになった。近代を駆動した思想や世界観を否定する新しい文化芸術のスタイルを創出することで、社会改革を目ざしたのが社会志向のモダニズムであった。第一次世界大戦では、大砲と戦車による塹壕戦であったが、第二次世界大戦では、航空戦が戦局を左右するようになり、さらに科学技術は兵器というハードだけでなく、作戦や爆撃エリア決定などのソフトにまで及んだのだ。この反社会的・反ヒューマニズム的な濁流をくい止めようとした社会志向のモダニズムの台頭は、第一次世界大戦中にスイスのチューリヒで起こったダダイズムからであった。ダダイズムは伝統芸術と社会のシステム化の破壊を提唱し、その方策として言葉から意味を切り離すことを目ざした。この運動はチューリヒからフランスへと移転した。しかし第一次世界大戦の終戦とともに秩序回復が希求されると、娯楽的なもののように見なされるようになり、シュルレアリスムに吸収されていった。

第一次世界大戦後の、都市・町・集落といった社会基盤の廃墟化と人びとの精神の荒廃をのり超えるために編み出されてきたのが主知主義であった。主知主義では、ストーリー仕立てのアレゴリー、フィクションにいれ込まれたイロニー・諧謔・諷刺、あるいは事物・事象やストーリーのコラージュなどをくりひろげることなどで、国政・社会・職場・生活の実態認識と、その改革への奮起と個々人の閉塞感の打開をもたらすことを推進している。中心的な詩法のアレゴリーは、もともとは抽象的な概念を、具体的なもので表すことであった。狐の物語では、狡猾ということを狐になぞらえ、また公正を天秤で、純潔を白で表すのも、よく知られたアレゴリーである。さらにイソップ物語から、キリストの譬話、ダンテの『神曲』にいたるまで、アレゴリーがテーマとなっている。アレゴリーと暗喩は、喩（たとえ）ということでは共通しているが、モダニズムでのアレゴリーは、物語性のなかに、諷刺性や現実に対する批判が込められたものとなっている。また、アレゴリーは見逃していた問題を浮き彫りにする、あるいは問題にたいする危機意識をもたらすはたらきもある。一方、戦後詩の「荒地」グループの多用した暗喩は、ある語や語句をその本来の意味とは違う語や語句で置き換えることで、観念的には類似性のなかった関係に新しい結びつきを創り出す。そのときイメージが立ち上がってきて、実態にたいする臨場感を突きつけてくるだけでなく、気づかなかった意味を知らせるはたらきがある。「荒地」の暗喩には、近代文明すなわち近代化への批判が織りなされていることもある。また、主知主義は、題材として現代の社会情勢や風俗を扱っていることからも、社会と民衆に密着したものとなっていた。

アンドレ・ブルトンが、『シュルレアリスム宣言』を発表したのも、第一次世界大戦後の一九二四（大正一三）年であった。行動や欲求は、意識とよばれる精神の上部層だけで成り立っているのではなく、深層意識と呼ばれる下部層にも駆り立てられている。無目的なこの下部層までも表現することで、人間性あるいは人間の全貌を知ることができるのである。シュルレアリスムは理性や慣習に囚われない行動や奇怪な出来事・事象をくりひろげて、人間性の解放を提言するとともに、精神の下部層を顕在化して、自らの思想と行動を見直すことも狙っていた。

主知主義やシュルレアリスムの台頭は、第一次世界大戦を契機としていたものの、それは時代の潮流でもあった。個人の悲嘆や悩みは、個人だけの閉じたものではなく、政治体制・経済体制や仕事でのやりがい、あるいは社会通念などから生じていることが多い。また、さまざまな組織が複雑に絡み合い、価値観や人生観や世界観が多様化した現代においては、ロマン主義・象徴主義やリアリズム・自然主義では有効な文化芸術的あるいは哲学的な境地をうち出せなくなっていた。そこで主知主義やシュルレアリスムでは、暗喩・アレゴリー・アナロジーといったロマン主義・象徴主義から引き継いだ方法により、あるいは奇怪な行為・事象やコラージュなど前衛的な方法により、イメージが立ち上げられ、読者がそれに対して思索をめぐらすことで、イメージは思想に還元されるのである。現代の思想は、カント的な哲学論でも、論語的な道徳論でも、小林秀雄的な芸術論でも、ルソー的な教育論でもなく、そういったことを踏まえつつ、イメージから個々人が考え出す価値観や人生観や世界観ということになる。また、イメージを通して外部を認識することで、外部をのり超える、あるいは止揚できるようになるといえる。

社会制度や社会的な秩序に即して人びとは行動し、生活してゆかなければ、現代社会は成り立たない。現代社会は静的には組織として、動的にはリゾーム（根茎）的な連鎖系として機能しているからである。それが破られたときどうなるか、モダニズムは実験しているといえる。そこには人間としての生き方はない、と思ったならば、現状に立ち返るべきであり、非現実のなかにやっていける期待を見出せたならば、それを目ざせばよいのである。文化芸術のモダニズムは、近代社会の批判と止揚にもとづく新しい思想を創出する前衛的な方法を、うち立てるための運動である。

わが国における第二次世界大戦終戦から二〇年ほどの間に登場した詩人の詩が、固有名詞的に戦後詩と呼ばれている。他方、戦前から活躍していた三好達治や金子光晴や小野十三郎が戦後に書いた詩は、戦後詩とは言い難い。戦後になって生み出された詩法でなくてはならないのだ。戦争への反省・戦後の厭世観の表出、あるいは近代社会への批判をくりひろげたモダニズム的な詩でなくてはならないということになる。戦後詩はポスト戦後詩へと進展した。戦後詩は戦争への反省や近代社会の批判と超克が中心であったのに対して、ポスト戦後詩は、安保闘争やベトナム反戦運動などを背景とした社会不安やイデオロギー的対立をラディカルな表現によりのり超えることを目ざした。モダニズムとしての知的な組立ては拒否され、より過激な場面や出来事がくりひろげられた。そこではダダイズム的な発想へたち帰るとともに、現在の政治・経済・文化への反論と、そこでの、行動や事象の現実との〝ずれ〟や、言葉の通常の意味からの〝ずれ〟などは、戦後詩のモダニズムの技法をオーバーシュート（これまでの限界を超える）するものとなっていた。

一九八〇（昭和五五）年代から大量消費社会へと突入し、ポストモダン時代となった。ポストモダンとは哲学的認識では「大きな物語の終り」とされていて、「小さな物語」の乱立がはじまったということである。ユートピア的な社会主義や啓蒙思想的な進歩主義は崩れ去ったことを踏まえ、政治も文化も全体的に理想に近づけようとするのではなく、個々のテーマにとり組むスタンスとなった。外部の認識と社会批判をメインテーマとしているモダニズムは、主流とは言い難くなった。また、機械文明に駆動された社会は情報化・ＡＩ化社会へと、文化芸術はサブカルチャー優勢へと変貌するにつれて、文学あるいは詩の退潮はさらに加速するにいたった。結果として、テーマの通俗化やエンタテーメント化がひろがり、理想を追求するといったテーマにとり組むのは、困難になってしまった。多様化複雑化した現代社会には、この方が都合がよいのであろう。ポストモダンならではの渾沌と頽廃を是正する方策が、ポストモダニズムである。地域や都市・町・村などに限定したテーマにたいして、古典主義、ロマン主義、象徴主義、リアリズム、さらにモダニズムを改変しながら適用する、それが「小さな物語」となる。地方の過疎化や難民の亡命などの問題は、全国的や全世界的な解決策を模索する前に、「小さな物語」から考えるべきであろう。古典主義的な箴言・警句とともに、これもポストモダニズムである。

あとがき

前衛的な文化芸術の運動としての、詩のモダニズムは第一次世界大戦中のダダイズムからはじまった。そして、現代アートやジャズなどの現代ミュージックにも対抗しながら発展したといえる。モダニズム詩は従来の方法をつき破り、近代社会の批判と新しい思想の創出を図ってきたものの、残念ながら現代アートや現代ミュージックに比べて大衆に受け入れられてきたとは言い難い。

ロマン主義の抒情美や霊的境地には、芸術的な安息あるいは宗教的な陶酔がある。さらにそれを発展させたのがボードレールの象徴主義である。しかし、彼は象徴主義が読者を言語空間に幽閉する危険をいち早く察知し、リアリズムによる現実直視と改革志向を推し進めたのである。他方、ロマン主義や象徴主義だけでなく、リアリズム・自然主義をも否定した前衛的な方法がモダニズムであり、現代の社会的昏迷と人間疎外をのり超えるための、社会・政治・産業・経済の潮流に迎合しない思想と境地をもたらすことで、改革に向かわせる詩法を推し進めたのである。美術ではピカソのキュビスム、カンディンスキーの抽象主義などが、文学ではブルトンのシュルレアリスム、ジェイムズ・ジョイスやエリオットの主知主義などが、モダニズムとして文化芸術史上に新しいページをきり拓いた。

るようになった。

そして、第二次世界大戦後になって、前衛は正統とみなされ、モダニズムの名称で呼ばれ

ロマン主義の自我のオリジナリティの追求や、象徴主義のコスモス的空間の創出は、封建主義あるいは物質主義に囚われた人間性の解放や先入観の克服に役立ったはずであるが、現代社会ならではの怒りや悲哀を引き起こしている外部が何であるかを暴きだすとともに、それをのり超える改革の精神をわき立たせることは難しかった。それを遂行したのがモダニズムなのである。

さらにモダニズムのルーツや役割を探索する。モダニズムは反ロマン主義・反リアリズム・反自然主義の運動でもあった。リアリズムは古代ギリシャとルネサンスにおいて築き上げられた。しかし、芸術のはじまりは抽象からであったと、ドイツの美術史家・ヴォリンゲルが一九〇八（明治四一）年に刊行した『抽象と感情移入』において、次のように書きはじめている。

即ち抽象衝動はあらゆる芸術の初期に存すると共に、高い文化的段階に達している或る種の民族においてはこの衝動は永久に支配している。ところがたとえばギリシャ民族やその他の西洋民族にあっては、この衝動は漸次感情移入の衝動にとり換えられている。（草薙正夫訳）

感情移入は有機的なもののなかに幸福感を得るもので、それはリアズムであり、自然主義である。なぜ抽象衝動に駆られるかということを、ヴォリンゲルは心理的欲求から論じ

ていて、外界の現象によって人間に起こってくる大きな内面的不安を克服するために抽象芸術が考え出されたという。ここでの抽象とは、「規則正しいということ」と「合法則的であるということ」とがあり、そこには渾沌とした、あるいは流動的な外界の現象を安定や静止に導くはたらきがあった、としている。

美術評論家の高階秀爾は小説家の小松左京との対談の中で、社会や集団が危機や外圧にさらされたとき、抽象志向になると述べている。

> トーマス・E・ヒュームというイギリスの哲学者が、人間と自然との関係からこの問題を論じていて、ぼくはそれにかなり賛成なんです。彼によると、人間と自然とが比較的うまく行っている時あるいは場所では写実的な方向にいき、両者の関係がうまくいっていない場合、つまり氷河時代であるとか砂漠である場合には、抽象化の方向にいく、というのです。この仮説でいうと、たとえば、機械が登場してきた当初は人間にとって便利な道具だったけれども、機械がだんだん手に負えなくなる、つまり人間と機械との折合いがうまくつかなくなってきた時期に、まさに抽象絵画が出てきたということになる。地域的に見ても、たとえばアラビアという砂漠地帯で古くから抽象芸術が盛んだったことも、ヒュームの仮説に合うわけです。(『絵の言葉』)

機械の進歩・普及からの圧迫を逃れるために、抽象絵画が台頭してきた面もあるかもしれないが、もっと大きな理由として、社会の全体的な発展が労働や生活のあり方を変貌させたことによる。ということは、社会が複雑になるにつれて、それに呑みこまれまいとする気構えを、美の原理を知ることでもてるようになれるといえる。また、競争社会のなかで増大するストレスにたいして、喜怒哀楽の本質を平面化や図式化された絵で見ることで冷静になれるといえよう。

リアリズムからモダニズムならではの知を介入させる作法への流れは、わが国の和歌の世界にもあてはまる。最初の和歌集である万葉集は、直情と写生をベースにしていた。自然あるいは心情をありのままに表現するのが写生である。そして後世の古今集と新古今集では知的な技巧を凝らしたものへと変容した。万葉集では中央集権成立以前の豪族社会の大らかさが、古今集では貴族社会の安定からの明るさと知恵を競い合うような知的巧妙さが作風に反映している。一方、新古今集の歌人である慈円の史書『愚管抄』には、「保元以後ノコトハミナ乱世」とある。保元元（一一五六）年の保元の乱から武士階級の政権進出がはじまった。このとき西行は三八歳で、藤原定家の生れる六年前のことであった。新古今集では貴族階級没落の、この乱世からの逃避と克服を狙った象徴主義的な境地が創り上げられたのだった。

産業・経済・科学技術という外部からの圧力や社会・国際情勢の変貌をのり超えるあるいは止揚するために文化芸術は、さまざまな知的作法を発展させてきた。詩のモダニズムも、ギリシャ文化を源流とする文化芸術に必然といえる進化的流れを、推し進めてきたのだ。

抒情は内面の芸術的なものへのアプローチあるいはチェンジであり、叙景は自然や風景・事物への感情移入をともなった芸術的なものへのアプローチあるいはチェンジであるといえる。萩原朔太郎は象徴主義的抒情詩人であり、高村光太郎はロマン主義的抒情詩人であり、多くの人びとに膾炙（かいしゃ）されてきた。抒情詩は馴染みやすく親しみやすい。モダニズムの詩は中学校・高校の教科書でとり扱われることは、レアーケースであり、それは難解であることに加えて、社会のトレンドならびに政治体制への批判をふくんでいるためなのであろう。これでは、ますます馴染みのないものになってしまう。インターネット・スマートフォンやＶＲ（仮想現実）／ＡＲ（拡張現実）・ソーシャルゲームなどに代表されるように、情報通信や画像処理が革命的に発達したことで、あらゆる情報は検索されあるいは映像（ビジュアル）化されるようになった。またコミックやアニメーションが、街頭にオフィスに家庭に氾濫している。それに呑みこまれることなく、詩などの文化芸術を鑑賞するとともに思索をめぐらすことで、美的感動・陶酔とともに芸術的境地や思想哲学をも感得することが求められている。モダニズムの詩については、エンターテイメントとしても享受できるが、人間疎外やストレスに満ちた現代社会を理解しのり超えてゆくための教本としても役立たせていかなくてはならない。詩のモダニズムは、現代をのり超える方策とエネルギーをもたらしてきたのである。

　令和元年八月に逝去された長谷川龍生先生に心のこもったご指導をしていただいたことに、厚く感謝も申し上げる。

《参考文献》

ヴォリンゲル／草薙正夫・訳：抽象と感情移入、岩波書店、一九五三
小松左京、高階秀爾：絵の言葉、講談社、一九七六
ガストン・バシュラール／岩村行雄・訳：空間の詩学、筑摩書房、二〇〇二
安田章生：西行と定家、講談社、一九七五

著者略歴

前川整洋（まえかわ・せいよう）

昭和26年、東京生れ。昭和51年、名古屋大学大学院卒業。

小学校5年のとき高尾山に隣接する景信山（727m）に登ったのをきっかけに、登山をつづけるとともに、山岳紀行、詩、俳句を書きはじめる。その体験を活かし自然、詩、俳句についての評論も書く。深田久弥の日本百名山完登。産業機械メーカーで流れと熱の解析を担当。評論『いくつもの顔のボードレール』『巨匠探究―ゲーテ・ゴッホ・ピカソ―』『山・自然探究』の執筆で新境地を拓くとともに、現代社会に求められている精神の再生と自然界の霊的境地の顕現を図った。

作家・詩人・俳人／現代詩創作集団「地球」（平成21年終刊）元同人／俳句会「白露」（平成24年終刊）元会員／新ハイキング会員

<著書>
『いくつもの顔のボードレール』『巨匠探究―ゲーテ・ゴッホ・ピカソ―』『山・自然探究』（いずれも図書新聞）、『雲ノ平と裏銀座』（近代文芸社）、『秘境の縦走路』（白山書房）、『大雪山とトムラウシ山』（白山書房）、『北海道と九州の山々』（新ハイキング社）、『シンセティックＣＡＤ（Computer Aided Design）』（培風館、図学会編、分担執筆）

<入賞・入選実績>
平成18年　コスモス文学新人奨励賞（評論部門）「詩人を通しての自然」
平成18年　三重県の全国俳句募集「木の一句」 大紀町賞
平成19年　コスモス文学新人奨励賞（詩部門）「聖（ひじり）岳」
平成20年　第八回うれしのあったかまつり百人一句　入選
平成21年　大好きドイツエッセイコンテスト2009入選 「百の頂に百の喜びあり」
平成21年　ＮＨＫ全国俳句大会　正木ゆう子選　秀作
平成22年　ＮＨＫ全国俳句大会　金子兜太選　坊城俊樹選　佳作
平成22年　第五〇回静岡県芸術祭　詩部門入選 「赤石岳」

平成23年　第五一回静岡県芸術祭　評論部門入選「宮沢賢治の詩が織りなす自然」
平成23年　第一六回「草枕」国際俳句大会　稲畑汀子選　佳作
平成24年　第一回与謝蕪村顕彰 与謝野町俳句大会　宇多喜代子選　秀逸
平成24年　第六三回名古屋市民文芸祭　詩部門佳作「キュビスム」
平成25年　第六四回名古屋市民文芸祭　詩部門佳作「五月の恵那山」
平成26年　第六五回名古屋市民文芸祭　詩部門佳作「早池峰山」
平成27年　第五五回静岡県芸術祭　評論部門入選「ゴッホとは何か」
平成28年　第六七回名古屋市民文芸祭　詩部門佳作「富士登山」
平成29年　第六八回名古屋市民文芸祭　俳句部門　名古屋市文化新興事業団賞
平成29年　第五七回静岡県芸術祭　評論部門奨励賞「詩『荒地』とは何か」
平成30年　第六九回名古屋市民文芸祭　詩部門佳作「白山のお池めぐり」
平成31年　第五九回静岡県芸術祭　評論部門静岡朝日テレビ賞「象徴から『軽み』への蕉風俳諧とその後」
令和2年　第七二回実朝忌俳句大会　鎌倉同人会賞

現住所　〒214-0023　川崎市多摩区長尾7-31-10

詩のモダニズム探究

2020年4月15日　　初版第1刷発行

著　者　　前川整洋
発行者　　井出　彰
発行所　　株式会社 図書新聞
〒101-0051　東京都千代田区神田神保町2-20
TEL 03(3234)3471　FAX 03(6673)4169
印刷・製本　吉原印刷株式会社

ISBN978-4-88611-478-5 C0090